19,95

DAGBOEK VAN EEN BEDROGEN VROUW

D0317708

MIRIAM JACQUES
DAGBOEK VAN EEN BEDROGEN VROUW

Lampedaire
UITGEVERS

Miriam Jacques
Dagboek van een bedrogen vrouw

© 2009 Lampedaire uitgevers
Lampedaire uitgevers, Leysstraat 19, 2000 Antwerpen

www.lampedaireuitgevers.be
info@lampedaireuitgevers.be

Alle rechten voorbehouden

Omslagontwerp: Serge Baeken/De Ysfabrik
Eindredactie: Lampedaire
Drukkerij: Bariet
Foto achterflap: Dieter Bacquaert
Foto's cover en binnenwerk: Lampedaire Uitgevers

Lampedaire Uitgevers is een onderneming van VL Publishing bvba

ISBN 978 90 795 92 210
NUR 600
D/2009/11.755/15

*Niets uit deze uitgave mag worden verveelvoudigd en/of openbaar ge-
maakt door middel van druk, fotokopie, microfilm of op welke wijze dan
ook, zonder voorafgaande schriftelijke toestemming van de uitgever.*

*No part of this book may be reproduced in any form by print, photocopy,
microfilm or any other means without prior written permission from the
publisher.*

GEMEENTELIJKE
OPENBARE BIBLIOTHEEK
KOKSIJDE

Juni '09

Voor mijn lieve dochter Stéphanie
Ik ben blij dat ik je mama mag zijn

MIRIAM JACQUES
DAGBOEK VAN EEN BEDROGEN VROUW

Sinds 13 oktober 2006 hou ik brieven, mails, gesprekken, krabbels, post it-jes, sms-jes, interviews en mijn uitpuilende agenda nauwkeurig bij. Bijna elke avond tik ik mijn ervaringen op mijn laptop in de file 'dagboek' omdat ik met mijn verhaal nergens terecht kan. Het is mijn manier om de pijn en het verdriet te verwerken. Mijn computer is mijn enige vriendin in mijn eenzame strijd. Mijn huwelijk loopt fout en ik verdenk Ignace dat hij relaties aanknoopt met Miss Belgian Beauty-kandidates. Volgens mij beginnen de problemen met Anne-Marie Ilie, Miss Belgian Beauty 2007. Ze wordt verkozen op 20 oktober 2006, maar ik voelde al vlug dat de twee een affaire hadden.

'Ik voel me gebroken en verontwaardigd, de wereld zakt onder mijn voeten weg, vandaag weet ik dat Ignace mij bedrogen heeft. Hoelang weet ik niet, dat wil de ontrouwe Missmaker me niet zeggen. Maar hij heeft vandaag na maanden van leugens en bedrog eindelijk toegegeven wat ik langer dacht: hij ging meermaals naar bed met Miss Belgian Beauty 2007 Anne-Marie Ilie'. Dat schreef ik in mijn dagboek op 8 februari 2007. De buitenechtelijke relatie begon enkele maanden voor de Miss Belgian Beauty-finale op 21 oktober 2006 en eindigde maanden later, nadat Ilie haar doel had bereikt: het kroontje winnen van een Miss-verkiezingen. Verschillende andere bronnen bevestigden de relatie tussen Ignace Crombé en Anne-Marie Ilie. En Ilie blijkt niet de enige te zijn waarmee Crombé een affaire had. De klap is hard, maar toch blijf ik mijn man lange tijd onvoorwaardelijk steunen. Ik probeer maandenlang zijn amoureuze fouten

7

door de vingers te zien en hem zijn gedrag te vergeven.

Ik balanceerde jarenlang tussen boosheid, vergevingsgezindheid en naïviteit. Als vrouw en moeder had ik één ding voor
ogen: ik wilde krampachtig mijn huwelijk redden, ons gezin bij elkaar houden en Stéphanie behoeden van een echtscheiding van haar ouders. Allemaal tevergeefs blijkt nu.

Eind december 2008 besluit ik al mijn verhalen, bedenkingen en gevoelens weer te geven in een boek waarin ik de
hele soap van me af wil schrijven. Crombé heeft de laatste
twee jaar mijn hele leven overhoop gehaald en gehypothekeerd. Hij gaf het ene interview na het andere en toonde
daarbij weinig respect voor de impact van de mediasoap op
het privé-leven van mij en onze dochter Stéphanie. Er is
genoeg onzin de wereld in gestuurd. Dit boek is het ware
verhaal van mijn laatste 28 maanden, het dagboek van een
bedrogen en gebroken vrouw.

Miriam, februari 2009

Wat vooraf ging!

Mijn jeugdjaren, mijn huwelijk en mijn eerste jaren als mede-organisator en medeverantwoordelijke van het organisatiebureau *Animô*.

Ik word geboren in Roeselare, op 20 april 1962 als oudste dochter van drie kinderen. Francisca is bijna anderhalf jaar jonger, Petra en ik verschillen vier jaar. We groeien op in een huis van *commerce*. Mijn ouders runnen *Tailor Jacques*, een winkel in herenkledij. Tijdens mijn kinderjaren verhuist ons gezin drie keer naar een groter pand in de Noordstraat, een drukke winkelstraat in Roeselare. Zo'n ingrijpende verhuis naar een grotere winkel betekent telkens dat het financieel beter gaat. Het klikt tussen mama en papa. Vader is elf jaar ouder dan moeder, maar in hun innige verhouding is dat geen minpunt. Mijn ouders zijn hardwerkende middenstanders en hebben het ontzettend druk met hun kledingszaak. Moeder staat dagelijks al zeer vroeg in de winkel, ze is duidelijk de patron en kan werkelijk àlles verkopen. Zonder haar zou de zaak nooit succes kennen. Vader is zachter van karakter, samen met een medewerker verzorgt hij de retouches in het atelier achteraan de winkel. Hij staat elke morgen om 5uur op en gaat heel laat slapen. Beiden houden van hun vak, het is hun grote passie. Logisch gevolg is dat mijn ouders weinig tijd hebben voor hun drie dochters. Om die reden worden wij alle drie op internaat gestuurd. Het gekke is dat de kostschool van de *Grauwe Zusters* op nauwelijks tweehonderd meter van ons thuis ligt. Als ik vanuit mijn *chambrette* door het raam kijk zie ik ons huis staan, en met enige moeite aanschouw ik de bedrijvigheid in de winkel. Persoonlijk vind ik het niet erg dat we van maandagmorgen tot vrijdagavond op internaat vertoeven, ik begrijp de keuze van onze ouders. Moeder en vader mogen niet op bezoek komen, we zien hen alleen in het weekend. Aan mijn grootouders heb ik niet zo veel herinneringen. Mijn grootmoeder langs vaders kant is vroeg gestorven en haar man heb ik nooit gekend. Wel onthou ik dat ik als kind graag school loop, maar toch kijk ik vooral uit naar de weekends. Dan wordt ons gezin immers herenigd. Elke zaterdagavond nemen wij pak en zak en rijden met onze gezinswagen naar ons buitenverblijf in het groene Hertsberge, een deelgemeente van Oostkamp. Daar is het altijd vakantie. Moeder en vader kicken er af van hun harde werkweek. In Hertsberge lopen ze er altijd ontspannen bij en zijn ze constant met ons in de weer. Die weekends geven me steeds energie, we bekomen van de schoolweek, zien onze ouders op een aangename manier, wandelen veel in de bossen, zoeken er blaadjes en rapen kastanjes. Elke maandagmorgen staan we heel vroeg op om terug naar Roeselare te rijden en op tijd op school te zijn. En dan is het voor mij wachten tot de volgende zaterdag, tot we samen leuke dingen doen.

Mijn lagere school doorloop ik zoals iedereen: braaf en gedwee. Vanaf mijn twaalf jaar word ik wat serieus genomen in de grotemensenwereld. Zo mag ik tot mijn eigen verrassing elke zaterdagnamiddag een handje helpen in de winkel. Ik kies de bijpassende hemden en dassen voor klanten die een kostuum kopen en maak ook de rekeningen. Ik kom graag onder de mensen en doe die job met hart en ziel. Moeder en vader vragen nooit of Petra, Francisca of ik later de zaak willen overnemen. Ze weten dat geen van hun dochters het zware werk van vader kan uitvoeren. Op mijn twaalf jaar leer ik ook wat verliefdheid is. In het zesde studiejaar volg ik elke zaterdagnamiddag godsdienstonderwijs in functie van mijn plechtige communie. Samen met de jongens van de Sint-Michiels-parochie volgen we les. In het parochiaal centrum ontmoet ik Johan, ik val voor de manier waarop hij praat en handelt, hij is charmant en grappig. Na de vijfde les staan we buiten wat onhandig te babbelen, hij zoent mij op de wang en neemt afscheid. Voor de allereerste keer merk ik wat kriebels zijn. Ik kijk uit naar de volgende zaterdag, maar eenmaal thuis kan ik mijn liefdeservaring met niemand delen. Bij mijn strenge ouders kan ik niet terecht met mijn verhalen over Johan en mijn prille bakvisverliefdheid. Dat blijft allemaal lang taboe. Ik zie Johan nog enkele zaterdagen, maar onze band verwatert. Ik ontdek aan den lijve wat de spreuk 'uit het oog, uit het hart' betekent. Mijn eerste kalverliefde dooft uit in mineur.

Na de lagere school verhuis ik naar het *Onze-Lieve-Vrouw ten Doorninstituut* in Eeklo, ook daar verblijf ik op het internaat. De bekende zuster Monica is er directrice. Ik volg de richting Economie-Talen en voor de eerste keer beland ik in een heel hechte groep vriendinnen. Wij steunen elkaar door dik en dun, spoken heel wat uit, lachen heel wat af en vormen een hechte kliek. Al de kleine probleempjes bespreek ik met mijn hartsvriendinnen, ik kan er eindelijk terecht met mijn vragen over jongens, ongesteld zijn en zoenen. Op school krijgen we een strenge maar rechtvaardige opvoeding. In de klas ben ik behoorlijk braaf, ik loop mooi binnen de lijntjes en ontpop mij tot een sportief meisje. Elke woensdagnamiddag spelen we met ons team competitievolleybal tegen een ploeg van een andere school. Daarnaast doe ik ook aan atletiek: als sprintster loop ik de 100m en de 60m. Sporten geeft me veel voldoening, maar het is mijn manier om het leven buiten de schoolmuren te verkennen. Naast ons instituut staat een groot jongenscollege, mijn sport is mijn alibi om die jongens te leren kennen. Het is allemaal heel spannend, ik ontmoet leuke jongens, maar de grote verliefdheid blijft uit.

Door mijn vriendinnen ontdek ik goede muziek. Muziek wordt een uitlaatklep voor mijn strenge opvoeding thuis en op internaat. Ik luister en herbeluister de muziek van Bob Dylan, Neil Young, Frank Zappa en Lou Reed. De teksten over de vrije wereld intrekken en wegdromen prikkelen mij en maken alles draaglijk.

Tijdens de zomer gaan we met onze familie nooit op vakantie naar de kust, Zuid-Frankrijk of Spanje. De kledingszaak van mijn ouders sluit nooit en daarom kiezen Petra, Francisca en ik tijdens de grote vakanties vaak voor een taalkamp in de Ardennen of Engeland en een paardenkamp in Izegem. Mijn zussen en ik zijn bijna nooit thuis in juli en augustus, we amuseren ons wel te pletter tijdens onze onvergetelijke zomerkampen. Op één van de paardenkampen in Izegem word ik voor de eerste keer echt verliefd op een mooie jongen. Ik ben 15. Didier heeft de mooiste ogen, een mooi bos haar en een atletisch lichaam. Op het kamp zijn we constant samen, we wandelen veel, volgen samen les en lachen veel. Ik hou van jongens met humor. Op de laat-

11

ste vrijdag van het kamp leggen we traditioneel het examen af om het kampdiploma te behalen. We studeren samen de theorie en zoenen elkaar voor de eerste keer in een hoekje in een palveljoentje. Na het examen pakken we onze rugzak in om naar huis te gaan. Het mag niet dat het hier ophoudt, ik vind het onrechtvaardig dat we elkaar nooit meer zullen zien en verzin een plan. Dezelfde vrijdagavond komt moeder mij ophalen, ik smeek om nog een weekje langer te blijven, om mij zogezegd te vervolmaken in het paardrijden en om een extra diploma te behalen. Mama knikt, ik mag een extra weekje overnachten. Ook Didier blijft. Die extra week wordt een superweek. 's Nacht slapen de meisjes apart, maar we spreken elke nacht af en zoenen uren onder de sterrenhemel. Het wordt een passionele week met de juiste sfeer, de juiste gezelligheid, de juiste tederheid. Maar ook na dat kamp is het onverbiddellijk afgelopen met de liefde. Didier vertrekt naar zijn thuishaven Veurne, ik naar Roeselare. We willen contact houden, maar de afstand blijkt te groot. Ik heb geen mogelijkheid om Didier te zien. Thuis word ik gekortwiekt, ik mag nergens alleen naartoe en kan nog altijd niet terecht met mijn verliefdheid bij mijn moeder. Dat is het nadeel van een strenge opvoeding. Het afscheid van Didier en de breuk valt mij zwaar. Ik moet mijn allereerste zomerlief laten gaan.

In mijn laatste jaar humaniora doe ik iets wat niet in mijn planning stond. Een goede klant van mijn ouders vraagt of ik wil meewerken aan een modeshow. Er is ook een Missverkiezing van de sportprinses geprogrammeerd. Die klant zit in de organisatie en vraagt of ik wil deelnemen aan de Miss-verkiezing. Zo'n verkiezing is eigenlijk mijn ding niet. Ik hou niet van de aandacht of van spreken voor een groot publiek. Ik bedank, maar na lang aandringen laat ik mij toch overhalen. De Miss-kandidates moeten een speech geven over een onderwerp dat per lot wordt toegewezen. Opvallend is dat die miss-verkiezing rond kennis draait en meer is dan een vleeskeuring. We defileren nauwelijks, het gaat duidelijk niet om de mooiste, maar om de beste. Ik trek het lotje met mijn speechonderwerp: boksen! Ik bereid snel een tekstje uit het hoofd, maar op het moment dat ik het podium op moet, heb ik faalangst, ik loop weg en sluit mij op in het toilet. Mijn naam wordt afgeroepen, ik moet op, iedereen bonkt op mijn toiletdeur, uiteindelijk weten ze me toch te overtuigen en geef ik mijn toespraak. Ik eindig tweede en word eerste eredame. Later krijg ik nog vragen om mee te doen met grotere verkiezingen, maar telkens hou ik vriendelijk de boot af. Ik heb genoeg afgezien.

Ik mag pas de eerste keer uitgaan op mijn achttiende. Op mijn verjaardag nota bene, op 20 april trek ik met vrienden voor het eerst naar een heus bal in Esen bij Diksmuide. Ik draag hetzelfde lang gekleurd kleed als op de missverkiezing van sportprinses Izegem. Samen met mijn schoolvriendinnen ga ik de hele avond uit de bol op de dansvloer. We dansen de hele avond op discohits, alsof ons leven ervan afhangt. Als ik even bezweet bekom van het danswerk stapt een jongen op mij af. Hij heet Stefan, is 20, knap en sportief. Zijn vader runt een bedrijf in Waregem. Stefan werkt in het familiebedrijf en vertoeft vaak in het buitenland. Al dansend leren we elkaar kennen. Ik word verliefd en dezelfde nacht kussen we elkaar op de dansvloer, onder de glinsterende discobal. Het is liefde op het eerste gezicht. Weer durf ik mijn verliefdheid thuis niet opbiechten uit angst voor kritiek en represailles..
Maar mijn verliefdheid maakt veel goed. Met Stefan spreek ik elke woensdagmiddag stiekem af aan de schoolpoort. In mijn laatste jaar humaniora mag ik gelukkig elke woensdagmiddag de school verlaten. Onze ontmoetingen zijn spannend, onze vaste plek is een kleine tearoom in Eeklo, op 100 meter afstand van mijn school. In de taverne kijken we minutenlang in elkaars ogen en maken we wilde plannen. Na een paar maanden in alle anonimiteit verliefd te zijn, heb ik uiteindelijk de moed om het nieuws mee te delen aan mama. Ik hoop dat ik door mijn openheid vaker mag uitgaan om Stefan te zien. Maar dat was verkeerd gedacht. Ze houdt me nog korter en nauwgezetter in het oog. Het blijft dus alleen bij die woensdagen. Na 4 maanden mag Stefan eindelijk thuis op bezoek komen maar hij mag er nooit blijven slapen. Ik ben echt overtuigd dat Stefan de man van mijn leven is. Met hem heb ik voor de eerste keer de liefde beleefd. Met hem wil ik oud worden.

Na mijn middelbare school weet ik in de verste verten niet wat ik wil studeren en wat ik met mij leven wil aanvangen. Die twee vragen houden me maanden bezig. Mijn ouders laten mij vrij kiezen, maar het lukt me niet. Mama en papa geven tevergeefs suggesties. De tijd dringt, de zomer eindigt bijna, ik heb nog altijd geen studierichting gekozen. Per toeval komt de directeur-priester van een hogeschool in Kortrijk op bezoek bij mijn ouders. Hij overtuigt mij om een opleiding te volgen aan de *Hantal*. Ik volg zijn suggestie en schrijf me enkele weken later in voor de richting bedrijfsadministratie-boekhouden.

Ik ga niet op kot, de afstand Roeselare-Kortrijk is maar 27 kilometer en papa doet mij een wagentje cadeau, zo kan ik zelf naar Kortrijk rijden om er de lessen te volgen. Mijn auto is mijn vrijheid, eindelijk bepaal ik zelf wanneer ik naar fuiven, films en theaterstukken ga. De relatie met Stefan houdt stand, we hebben geen liefdesnestjes, we vrijen in de auto en als mijn ouders de zaterdagavond naar Hertsberge vertrekken met Francesca en Petra, blijf ik vaak thuis in Roeselare om zogezegd te studeren. Stefan komt me er opzoeken en dan gaan we samen uit. Mijn ouders weten van deze romantische uitstapjes gelukkig niets. Je zou het niet zeggen, maar ik word nog steeds streng opgevoed. Ik heb vaste uren waarop ik thuis moet zijn en ik mag maximum twee keer per maand uitgaan. Maar ik ben natuurlijk creatief om Stefan zo vaak mogelijk te zien. Zo zet ik in mijn eerste jaar *Hantal* bewust een tweede zittijd in scéne omdat ik dan alleen mag studeren in ons vakantiehuisje in Hertsberge. Maar de echte reden is dat Stefan dan heel veel langs komt. 'Als je slaagt in je tweede zittijd mag je een week alleen op vakantie', zegt papa. Dat motiveert mij, deze zomer blok ik ontzettend hard. Het loont, ik slaag in mijn herexamen en vertrek een weekje naar Mallorca. Stefan kan niet mee, hij werkt in het buitenland. Ik reis voor de allereerste keer alleen, helemaal alleen. Dat is een schitterende beloning voor het geleverde studiewerk. Op Mallorca doe ik niets anders dan uitgaan en slapen. Ik ga weg met mensen die ik er leer kennen en geniet. Eenmaal terug van een welverdiende vakantie zie ik mijn relatie met Stefan op de klippen lopen. Na zestien maanden is de grote liefde over, Stefan is vaak in het buitenland, we hebben te weinig raakvlakken en groeiden de laaste maanden uit elkaar. Bovendien voelde ik de laatste tijd dat ik niet goed genoeg was voor de ouders van Stefan. De liefdesbreuk doet pijn, maar ik verwerk het goed, ik ga veel uit met een grote groep vrienden en behaal mijn diploma.

Op een zaterdagavond in september 1982 ga ik met vrienden naar een fuif in *De Hallen* in Kortrijk. Aan de kassa zeg ik laconiek dat ik niet wil betalen om binnen te gaan. De jongeman achter een tafeltje stemt in maar wil in ruil dat ik even op zijn schoot zit. Ik doe wat er gevraagd wordt en tot mijn eigen verbazing blijf ik uren met die man keuvelen. We praten honderduit, over koetjes en kalfjes, maar ook over het studentenleven, politiek en evenementen. Ik heb een crush op die vriendelijke flapuit. Veel sneller dan verwacht laat ik een nieuwe jongen toe in mijn hart. Hij heet Ignace, is praeses van een oud-studentenclub en organiseert in zijn vrije tijd bals en fuiven in de streek. Hij werkt als verantwoordelijke public relations bij *De Witte – Litaer* in Lauwe en richt grote evenementen in voor bedrijven en organiseert beurzen in binnen - en buitenland. Die avond kussen we elkaar. Op het einde van de avond wisselen we telefoonnummers uit en besluiten elkaar de volgende dag terug te zien. Ignace Crombé wordt mijn lief. Ik ben wild van zijn geestdrift, gedrevenheid en werklust. Hij weet wat hij met zijn leven wil doen en dat spreekt mij enorm aan. Ignace heeft één broer en twee zussen, op dat moment woont hij alleen op een appartement in Kortrijk, we spreken er de eerste weken veel af. Al vrij snel nodigt moeder hem thuis uit. Mijn ouders zijn niet onverdeeld gelukkig met mijn keuze. Ze vinden hem te flamboyant en te grootsprakerig. Eén zin vergeet ik nooit. Mijn vader zegt op een bepaald ogenblik: 'Gij denkt dat ge uw brood gaat verdienen door feestjes te organiseren'. Maar het vooroordeel slijt. Mijn ouders en mijn zussen beginnen Ignace stilaan te mogen, maar ik voel een blijvend scepticisme. Het vergt tijd om Ignace Crombé honderd procent in ons hart te sluiten. Zelfs bij mij is er een voorbehouden. Ik pieker af en toe wel eens over zijn persoonlijkheid, hij is een gesloten man en praat weinig over zijn gevoelsleven. Dat zint mij niet, maar ik hoop dat dat gevoel met de maanden zal verdwijnen. Mijn liefde voor Ignace is blind.

15

Ondertussen start Ignace zijn evenementenkantoor *Animô* op, één van de eerste evenementenbureaus in Vlaanderen. Zijn eerste klant is *De Witte – Litaer.* Hij blijft hetzelfde werk doen als voorheen, maar nu als zelfstandige. Zijn organisatietalent en zijn doorzettingsvermogen zijn immens, zijn motto is 'ook al heb je de wind van voren, blijf gewoon doorgaan'. Ikzelf werk een tijdje in het boekhoudkantoor *Haemers* in Roeselare. Hetzelfde kantoor behartigt de dossiers van mijn ouders. Na en paar maanden samenzijn komen er heel wat discussies en spanningen op ons af. Het klikt niet echt tussen zijn ouders en de mijne. Ignace komt uit een bourgeoisiemilieu. Alles moet er volgens de strikte regels gebeuren, er is geen plaats voor improvisatie en zelfrelativering. Mijn ouders hebben ook regels en normen, maar kunnen alles relativeren. Toch blijven we samen. Na amper negen maanden beslissen we om te trouwen. Ignace heeft er al een paar keer op aangedrongen, hij is 6 jaar ouder en wil geen eeuwige vrijgezel blijven. Waarschijnlijk denkt hij 'die moet ik hebben'. Het verlovingsfeest vindt plaats bij ons thuis in Hertsberge, het burgerlijk huwelijk bij hen thuis. We trouwen uiteindelijk op 23 juli 1983 in de Sint-Michielskerk in Roeselare. Het is prachtig weer, de kerk zit afgeladen vol, de deken doet de mis en iedereen is aanwezig. Het lijkt een sprookje. Ik geef mijn ja-woord met bibberende stem. Na de kerkdienst rijden we met oldtimers naar feestzaal *de Marquette* in Marke. Op de receptie is er enorm veel volk. Ignace heeft al zijn vrienden, kennissen en een pak oud-studenten uitgenodigd. 's Avonds feesten we in beperkte kring met intimi en familieleden. Om 6u zwaaien we de laatste gast uit en gaan slapen in een mooie suite in *de Marquette.* Ignace kan niet wachten om mij te beminnen en scheurt mijn trouwkleed.

Het is een korte nacht. 's Middags al vertrekken we voor drie weken op huwelijksreis naar Griekenland. We doen Kreta, Rhodos en Athene aan. Al op de eerste dag verbrandt Ignace zich. Hij is zo rood als een kreeft en verbijt de pijn. 's Nachts halen we er een dokter bij. Ignace heeft zoveel pijn dat hij van *colère* met onze valiezen begint te gooien. Dat is een kantje dat ik nog niet ken.

Huwen blijft een grote stap. Na onze reis verlaat ik het ouderlijk huis om samen te wonen op het appartement van Ignace in Kortrijk. Vader is een heel emotionele man, hij heeft het lastig met mijn verhuis. Aan de deur geeft me nog een goede oneliner mee: 'Miriam, ga nooit met ruzie slapen'. Enkele weken later stop ik op het boekhoudkantoor en ga aan de slag als receptioniste in *Hotel Broel* te Kortrijk. Een droomjob in een erg mooi kader. Ik ben heel gelukkig, alles gaat goed, ik heb energie, mijn leven zit op een goed spoor. In *Hotel Broel* werk ik dagelijks tussen 14.30u en 22.30u. Tijdens de voormiddag ben ik vrij en help Ignace met de boekhouding, het maken van offertes en het voorbereiden van contracten. Het bureau *Animô* begint klein. Een voorbeeld. Op een braderie in Wevelgem verkoopt Ignace relatiegeschenken. Hij verkoopt lotjes en balpennen van deur tot deur. Eerder kocht hij die stylo's in voor één frank, nu verkoopt hij die voor twee frank. Op het einde van de dag weet hij duizend *bics* te slijten en verdient hij duizend frank. Dat maakt hem tevreden. *Animô* groeit, de opdrachten lopen binnen en Ignace is *superhappy*.

Na één jaar huwelijk zeggen we ons Kortrijks Appartement vaarwel en kopen we een huis in Bissegem, net buiten Kortrijk. We richten één van de slaapkamers in als bureau en vanaf nu werken we ontzettend hard voor *Animô*. Zo hard dat we elkaar in de drukte en werkijver verliezen. We staan 's morgens op, werken de hele dag in ons kantoor beneden en gaan 's nachts slapen. De combinatie werken / het huishouden doen wordt mij te veel. Ik vraag Ignace of ik een poetsvrouw mag engageren. Hij weigert en wenst er verder geen commentaar op te geven. Neen is neen. 'Ik heb dat nooit gekend bij mij thuis, dus hier hoeft dat ook niet', is zijn mening. Is het gierigheid of principe, ik zal het nooit weten. Zondag is geen rustdag voor mij, maar poetsdag. Ignace wordt volledig opgeslorpt door het werk, daardoor wordt hij nog introverter dan voorheen. Ik geraak niet door zijn muren heen en krijg hoe langer hoe meer een beter beeld van de echte Ignace Crombé.

Ik laat te veel over mij heen lopen. Toen we elkaar leerden kennen, rookte ik. Ignace zei toen 'Ik wil met jou trouwen, maar je moet eerst stoppen met roken'. Ik ben voor hem gestopt. Eenmaal getrouwd ben ik herbegonnen. Ignace kan me enorm imponeren, maar achteraf doe ik wel mijn eigen zin. Nu ook, enkele maanden na zijn verbod, neem ik toch een kuisvrouw in huis onder het mom dat ik de zondag ook voor *Animô* werk. Het werk groeit boven zijn hoofd uit, hij heeft hulp nodig. Ignace wil dat ik full-time bij hem kom werken. Ik ween tranen met tuiten, ik probeer nog op te komen voor mijn leuke job in *Hotel Broel*, maar hij heeft geen oren naar mijn uitleg. Voor Ignace is het evident dat ik voor hem kies. Wat moet ik doen, ik ben nu vier jaar getrouwd en wil geen ruzie in mijn huwelijk. Is het een goed idee om zo op elkaars lip samen te leven en te werken? Gaan we daar geen spijt van krijgen? Al die vragen flitsen door mijn hoofd. Maar toch stem ik toe, *in the name of love*. Ik maak mijn eerste fout, ik cijfer mij volledig weg. Door het vele werk dunnen onze vriendschappelijke relaties uit, werkrelaties komen in de plaats. In die periode organiseren we veel shows op braderieën, kermissen, feesttenten en zalen in West - en Oost-Vlaanderen. Op een podium praat Ignace de spelletjes en de artiesten aan elkaar. Hij pakt uit met een verjaardagshow, kwisjes, een versie van *Wedden Dat?* en een *Animô's Honeymoonkwis* met pasgetrouwde koppeltjes. We hebben heel wat succes.

Ik merk meer en meer dat Ignace geen makkelijk persoon is. Dat is niet alleen zo in zijn job. Hij is ook thuis een perfectionist. Er mag nooit iets rondslingeren en hij bepaalt de regels. Ignace geeft ook nooit complementen. Ik kan me niet herinneren dat hij me ooit heeft gezegd dat ik er goed uitzie of dat ik mooi gekleed ben. En dat zal nooit beteren. Ik werk mij te pletter, het huis moet afbetaald worden en de zaak mag niet stilvallen. Ik neem de volledige administratie en de boekhouding op mij. Daarnaast ga ik mee naar activiteiten als hostess. In een lichtgroen pakje ontvang en begeleid ik gasten en publiek. Ik bereid de persmappen en uitnodigingen voor, maak budgetten op, schrijf draaiboeken en maak de facturen. Er is voorlopig geen tijd en plaats voor kinderen. Al bij al doe ik mijn job graag, maar toch ik kijk nog vaak met weemoed terug naar mijn activiteiten in *Hotel Broel*. Ik troost mezelf met de gedachte dat ik nu voor ons eigen bedrijf werk en alle leuke feestjes mag meemaken. Het enige nadeel is dat ik overal als eerste moet zijn en pas als laatste weer naar huis mag. Gelukkig lachen we wel wat af op onze activiteiten, evenementen en organisaties.

Na vijf jaar beslissen we om een apart kantoor aan ons huis bij te bouwen. De inwijding gaat gepaard met een groot feest. Het is alweer een nieuwe stapt voor *Animô*. 1988 is het jaar van de grote verandering binnen ons bedrijf. Ignace zakt met vrienden af naar de Miss België-verkiezing 1989. Als organisator vindt hij dat die avond bijzonder slecht en zonder creativiteit is verlopen. Via de winnares Anne De Baetselier komt hij in contact met voorzitter Cécile Muller. Na enkele meetings sluiten ze een overeenkomst: Ignace mag de Miss België-verkiezing 1990 organiseren in de *Expo* van Kortrijk. We betalen één miljoen frank aan Muller om dat te mogen doen, een heel pak geld. We beseffen dat we een groot risico nemen, in dat jaar komt Miss België immers nog niet op televisie. We starten van nul, zoeken sponsors en organiseren geluid, genodigden, artiesten, publiek, catering, gasten en loges. Een helse job. We werken 8 maanden aan dit evenement. Ignace haalt iedereen over de streep, de stad Kortrijk verleent haar medewerking, de tien meest vooraanstaande restaurants van Kortrijk verzorgen het diner en we bouwen een groots decor. De zaal is maanden op voorhand uitverkocht. En dan de grote avond, met spanning, stress en afzien. Gelukkig verloopt de organisatie perfect, Katia Alens wordt Miss België 1990, maar achteraf komt Muller Ignacé niet feliciteren. En dat heeft hij wel nodig: de schouderklopjes en complimentjes achteraf. Het negeren van Muller kwetst hem zodanig dat hij diezelfde avond beslist om een nieuwe missverkiezing op poten te zetten. Die nacht in De *Expo* van Kortrijk wordt het idee Miss Belgian Beauty geboren.

Ik ben niet wild van het Miss-idee en verklaar Ignace voor gek. Van nature ben ik een grote twijfelaar, ik ben en blijf een boekhouder. Toen we ons huis kochten in Bissegem was ik bang dat we het nooit zouden kunnen afbetalen. Maar na enkele weken kan ik mij in het Miss-plan vinden. Ook nu draai ik bij en zet mij nog meer in. Naast onze andere activiteiten komt er nu een grootse Miss-verkiezing bij. De grootste uitdaging sinds mijn huwelijk. Een jaar later wordt Rani De Coninck gekroond tot Miss Belgian Beauty 1991 in de *Cortina* in Wevelgem. De pers is lovend over de organisatie, door dezelfde pers wordt onze organisatie bekend in heel Vlaanderen. Het negatieve imago van Muller zit daar ook wel voor iets tussen. De organisatie van Miss Belgian Beauty betrekt reporters en journalisten veel nauwer bij het evenement en maakt de afvallingsrace veel transparanter. Er is echter een andere kant aan de medaille: we geraken niet uit de kosten en maken verlies. Maar Ignace wil doorgaan, hij wil Miss Belgian Beauty tot een successtory verheffen.

Vanaf 1991 word ik volledig opgeslorpt door het werk. Onze tweede Miss Belgian Beauty komt eraan en we moeten meer en meer festiviteiten organiseren. Vriendschappen verwateren, er is weinig tijd voor bezoekjes aan de ouders en vriendinnen, ik vereenzaam. Ook voor hobbies heb ik geen tijd. Toen we net getrouwd waren, gingen we er wel eens een weekje tussenuit. De zaterdagavond spraken we af met vrienden of pikten we een toneelstuk mee. We gingen ook regelmatig naar trouwfeesten. Nu is ons leven gebaseerd op werken. Er is ook weinig plaats voor liefde.
Alle gesprekken, diners, afspraken, reisjes, discussies en agendapunten verlopen in het kader van onze job. Dat constateren is hallucinant, maar er is geen weg terug. Ons privé-leven is volledig opgeslorpt door onze professionele bezigheden. Soms denk ik aan het leven dat mijn ouders hebben geleid. Ze werkten hard, maar het weekend was heilig. Mijn weekends zijn al jarenlang werkweekends. 'Voor wie of wat flits ik nu al acht jaar als een bezetene door het leven?', vraag ik me al maanden af. We hebben nu een aantal zekerheden: een eigen huis, een goed lopend bedrijf, elkaar. *But what next?* Ik wil heel graag kinderen. Ik probeer Ignace te overhalen om toch eens een avond samen door te brengen om te praten over de zin van *Animô*, de zin van het hectische leven en de zin van ons huwelijk. Voor Ignace telt er maar één ding: werken. Gelukkig is hij de uitbouw van een gezin genegen. Om een zwangerschap te bespoedigen wil ik stoppen met de pil, Ignace keurt het goed.

Eind november '91 vertrekken we eindelijk nog eens op pri-
véreis naar Marbella, het is er ontzettend slecht weer. We
verdelen de tijd tussen shoppen, wandelen, eten en vrijen.
In het hotelbed word ik zwanger, ik voel het meteen. 'Ik
denk dat ik zwanger ben', zeg ik de volgende dag aan Ignace.
Hij is euforisch en koopt meteen een uurwerk voor mij. Het
is zijn manier om zijn liefde te tonen. Eenmaal terug van
reis is het *business as usual*. Werken! Zwanger zijn is niet
leuk. Ik kom vijfentwintig kilo aan en tijdens de feesten die
we organiseren is het niet praktisch om met een dikke buik
rond te lopen. Toch werk ik tot de allerlaatste dag van mijn
zwangerschap. Ignace heeft alles geprogrammeerd: de dag
waarop ik naar het ziekenhuis ga, het moment dat de beval-
ling kunstmatig in gang wordt gezet, de datum dat ik naar
huis mag en de dag dat ik terug aan de slag ga. Op 31 augustus 1992 wordt Stéphanie geboren, de zondag erna mag ik
naar huis, maandag moet ik opnieuw paraat staan. Drie dagen na de geboorte van Stéphanie vertrekt Ignace voor een
week met de Miss Belgian Beauty-kandidates naar Tenerife.
Die eenzame dagen vind ik verschrikkelijk, ik ween mij elke
avond in slaap. De eerste maanden na de geboorte blijf ik
thuis. Met een babyfoon volg ik alles vanuit mijn bureau,
maar de combinatie werken en voor Stéphanie zorgen lukt
me niet. Na drie maanden opteren we voor een onthaalmoeder.

De jaren vliegen voorbij. De nieuwe Miss Belgian Beauty
is nog maar verkozen of de volgende Miss Belgian Beauty-
verkiezing start met de voorbereidingen. Daarnaast organiseren we ook nog grote feesten en sluiten we langdurige
contracten met bedrijven. Ignace wordt geloofd en geprezen
voor zijn werklust, organisatietalent, openheid en deontologie. Maar we zitten op een sneltrein. Achterom kijken of
even blijven stilstaan bij het leven dat we momenteel leiden
kan niet. Ik neem de opvoeding van Stéphanie volledig op
mij. Ignace is nauwelijks aanwezig. Ik breng Stéphanie naar
school en voer haar naar de dansles, tekenacademie en dic-
tielessen.

Ik noteer in 2000: 'ik heb er spijt van dat ik maar één dochter
heb.' Ook mijn sociaal leven is in al die jaren beperkt geble-

De laatste jaren zit alles professioneel in de lift. Het productiehuis van Paul Jambers stelt voor om een docusoap te maken over de Miss Belgian Beauty-verkiezingen. We twijfelen niet. 'Miss Belgian Beauty achter de schermen' loopt drie seizoenen. Daarna plant ook VT4 een docusoap over onze Miss-verkiezing. Professionel zit alles goed, *Animô* viert haar 20-jarig bestaan met een feest voor 1.000 genodigden. Die dag neem ik voor de eerste keer een microfoon beet om een tekst van Paul van Vliet op te dragen aan Ignace.

Ik drink op de mensen
Die bergen verzetten
Die door blijven gaan met hun kop in de wind.
Ik drink op de mensen
Die risico nemen,
Die vol blijven houden
Met het geloof van hun kind.
Ik drink op de mensen
Die dingen beginnen
Waar niemand van weet wat de afloop van zijn.
Ik drink op de mensen
Die met vallen en opstaan
Niet willen weten van water in wijn
Ik drink op de mensen
Die blijven vertrouwen,
Die van tevoren niet vragen
Voor hoeveel en waarom.
Ik drink op de mensen
Die door blijven douwen:
Van doe het maar wel
En kijk maar niet om
Ik drink op het beste
van vandaag en van morgen
ik drink op het mooiste waar ik van hou.
Ik drink op het maximum
Wat er nog in zit,
In vandaag en in morgen,
In mij en in jou

Ook Stéphanie draagt een eigengeschreven en emotioneel gedicht op voor haar papa.

Mijn papa is een Super...!

Nu ja, een super wat eigenlijk?
Ik ben het weer vergeten.
En ik had het nochtans zo goed gestudeerd.

Mischien een super-zanger...nee alvast niet.
Of een super-handige Harry...nee dat is hij ook niet.
Een super-presentator is hij zeker.
Maar het was toch nog iets anders.
Een super-vent, een super-kerel, een super-kok, een super-...!
Nee nee nee, dat is hij allemaal niet.
Even heel goed nadenken, dat is het, mijn papa is een super-papa!
Maar waarom eigenlijk?

Mijn papa's beroep is formidabel
Bij hem voel ik me altijd comfortabel
Hij is ook superlief!
Maar niet meer zo sportief
Hij kan fluiten als een parkiet
Alhoewel, zoveel doet hij dat niet
Papa verdient vele centjes voor ons gezin
En daar zit wel iets in
Maar mijn papa is toch zoveel weg
Nu ja, dat is eventjes pech!

Voilà, daarom is mijn papa een super-papa!
En daarom krijgt hij van mij een gouden Oscar.

Een dikke zoen van je lieve kapoen,

Stéphanie!

ven. Ik kijk met heimwee terug naar onze eerste huwelijks-jaren, de tijd dat we elke week uit eten gingen, samen naar televisie keken, samen wat culturele activiteiten opsnoven en plezier maakten met vrienden. Dat lijkt nu allemaal definitief verleden tijd. Ignace blijft hard werken, ik vermoed dat hij liever in de belangstelling staat en meer jobs afhandelt, dan dat hij met zijn gezin in de weer is. Zijn ego speelt hem al langer parten. Als hij in 2.000 door de CVP wordt gevraagd om op de verkiezingslijst te staan, verzet ik mij daar tegen. Hij luistert niet en voert toch campagne. Ik vind het *not done* om als zakenman in de politiek kleur te bekennen. Op de verkiezingsavond haalt hij 647 stemmen. De CVP had meer stemmen verwacht, maar het resultaat viel flink tegen. Exit Crombé.

Ik vind het een goede les voor Ignace. Niet àlles ligt aan zijn voeten. Niet àlles is evident. Ignace toont niet dat de verkiezingsuitslag hem zwaar valt. Hij heeft zoals steeds altijd een antwoord klaar om zijn minpuntjes, problemen en tegenslagen te verdoezelen en te camoufleren. 'Je mag nog blij zijn dat ik niet verkozen ben', lacht hij. 'Dan zou ik nog veel meer moeten werken'. Dat is typisch Ignace, met een stoïcijns gezicht op een lacherige manier mensen in de hoek zetten. Zelf relativeer ik de negatieve kanten van Ignace. Als organisatoren, klanten en persjongens bij mij klagen over de betweterigheid, de onrust en het gebrek aan tact en diplomatie, zet ik mijn man steeds uit de wind. 'Hij heeft het druk', 'Hij lijdt aan stress' excuseer ik hem dan.

In 2005 bestaat Miss Belgian Beauty 15 jaar, als verrassing maakt kunstenaar Marc Claerhout uit Ingelmunster een bronzen kunstwerk.
'De Missmaker' wordt op een officiële happening met honderden genodigden in onze voortuin geplaatst. Die dag overschouw ik mijn leven. Ik heb jarenlang met bezieling en energie de organisatie van de Miss Belgian Beauty- verkiezing op mij genomen en zeven op zeven gewerkt. De confrontatie met de inhoud van mijn leven is zwaar: geen hobby, geen sociaal leven, weinig tijd voor vrienden en familie. Ik probeer Ignace te overtuigen om na de Miss Belgian Beauty-verkiezing 2006, de organisatie na 15 jaar te

verkopen aan geïnteresseerden en een rustiger leven op te bouwen, maar hij weigert. Hij heeft angst om in een zwart gat te vallen en de aandacht te verliezen. Weer eens volg ik hem blindelings.

Langzaam komen de eerste barsten op mijn hart. Ik geloof niet in toevalligheden of ongeluksdagen, maar vanaf vrijdag 13 oktober 2006 wordt mijn leven stilaan een nachtmerrie. Van die dag af noteer ik mijn ervaringen fragmentarisch op mijn laptop. Van twee dingen ben ik overtuigd: schrijven werkt therapeutisch en àlles komt uit.

Vrijdag 13 oktober 2006

Gisteren startte de voorbereidingsweek op de Miss Belgian Beauty-verkiezing van 22 oktober. Die avond wordt in Knokke alweer de 16de editie georganiseerd van de nationale verkiezing Miss Belgian Beauty 2007. Tussen de 20 finalisten wordt naar de opvolgster gezocht voor de uittredende Miss 2006 Céline Du Caju. De finalisten logeren in *Hotel Cortina* in Wevelgem en repeteren er de hele week de verbale proef, de choreografieën en de defilés. Ignace is constant in de weer met de coaching van de finalisten, ik blijf de hele week thuis om alles logistiek voor te bereiden. Vandaag geven de meisjes acte de présence bij de firma *Laura Star* in Bierbeek. Daar komen ze tegen elkaar uit in een geïmproviseerde strijkwedstrijd, Anke Rectem wint en krijgt een strijkijzer kado. Nadien bezoeken we de *Casino Slots* in Aarschot. We rijden vandaag zes uur met de promobus. Na de drukke werkdag frissen de meisjes zich op in *Hotel Cortina* in Wevelgem. Straks is er een etentje voorzien in *Restaurant Neerbeek* in Bissegem. Ignace vertrekt met de meisjes vanuit *Hotel Cortina* met de promotiebus, samen met mijn dochter Stéphanie rij ik naar het restaurant. De finalistes ogen ontspannen, we drinken een aperitief, praten wat bij en bespreken het draaiboek van de show. In de bar ligt de gsm van Ignace op tafel. Er komt een sms-berichtje binnen, ik neem de mobiele telefoon en lees het berichtje. Het is van Anne-Marie Ilie, één van de 20 Miss Belgian Beauty-kandidates.
In haar sms'je naar Ignace staat letterlijk:

Ik ben bang om me verdacht te maken, maar ik zie je heel graag en wil je straks nog even zien. Kusjes.

Het is een op zijn zachtst gezegd vreemd en bizar berichtje. Allicht zoekt Anne-Marie wat toenadering om in de gunst te komen van organisator Crombé. De voorbije jaren heb ik al veel verhaaltjes en geruchten moeten horen. Ik heb die steeds naast mij neergelegd omdat ik Ignace ken en volledig vertrouw. Ik ben tenslotte al 23 jaar met hem getrouwd, ik ken zijn streken. Toch stap ik met zijn gsm in de hand naar Ignace toe. Ik toon hem het sms'je. 'Dat is iets voor de boekjes hé', antwoordt hij lacherig. Ignace reageert als een kind en probeert zoals steeds het voorval weg te lachen. Hij doet mij toch twijfelen. Als Ignace met iets onverwacht wordt geconfronteerd reageert hij altijd onwennig en geïrriteerd. Ook nu is hij lichtgeraakt. Maar toch voel ik dat er iets niet goed zit. Ignace loopt naar de grote eettafel en roept Anne-Marie even om te praten. Ik volg hem en vraag aan Anne-Marie wat dit sms'je te betekenen heeft. Ze wordt zuur en kattig en slingert me naar het hoofd dat ik gek ben. 'Ik zie niets in Ignace, hij is zo oud als mijn vader', roept ze. De aantijgingen van Anne-Marie zijn merkwaardig. Waarom is ze zo bitsig? Heeft ze dan toch iets te verbergen, is ze een finaliste die Ignace probeert te versieren in de hoop op een een overwinning volgende week in Knokke of is er meer aan de hand? Ik blijf kalm en nodig Ignace en Anne-Marie uit om te dineren. Ik vergeet het voorval even, maar ik ben ongerust. Na het etentje rijden we met de finalisten op uitnodiging naar discotheek *Etcetera* in Zulte. De kandidates moeten er een acte de présence geven. In de *Etcetera* heb ik even de tijd om Ignace bij de arm te nemen en hem een expliciete vraag te stellen. 'Wat heeft dat sms'je te betekenen Ignace', zucht ik. Hij wordt furieus, negeert mij en loopt weg. Mijn man wil er duidelijk niet over praten. Ik hou Anne-Marie Ilie in het oog en speur naar opvallend gedrag tussen Ilie en Crombé. Voorlopig maak ik mij geen zorgen, maar Ignace reageert wel zeer vijandig. Op de terugreis naar het hotel is de spanning tussen Ignace en mij te snijden. Ik blijf zoals afgesproken in het hotel overnachten om over de meisjes te waken, Ignace stuift met zijn wagen naar huis en laat niets meer weten. Hij stuurt geen sms'je en neemt zijn gsm niet op. Hij is en blijft een keikop.

Zaterdag 14 oktober 2006

Ik ben nu 43 jaar en zie mijn huwelijksgeluk als zand door mijn vingers glijden. Om alles te verwerken, evalueer, analyseer en overschouw ik mijn leven. Ik neem wat notities. In mijn hotelkamer beleef ik een onrustige nacht. 's Morgens is Ignace al vroeg in het hotel. Aan de ontbijttafel geeft hij me een zoen. Zijn onaardigheid en grimmigheid van gisterenavond hebben plaats gemaakt voor iets anders. Er is niets aan de hand maak ik mezelf wijs. Mijn argwaan ebt langzaam weg, maar we spreken verder geen woord tegen elkaar. Ik probeer mij de hele dag te concentreren op de activiteiten. Vandaag zijn we de hele dag met de meisjes op stap. We bezoeken sponsors, luisteren festiviteiten op in Wortegem en Oostrozebeke en eindigen met een diner in een restaurant *De Laiterie* in Kortrijk, één van onze sponsors. Na het avondeten staan er nog twee acte de présences op de agenda, om 23u30 zijn we de gast in danscafé *Locale* in Kortrijk en om 01u15 rijden we door naar danscafé *Rock 'n Broll* in Kuurne. We arriveren rond 02u30 op de parking van *Hotel Cortina*. Ignace heeft de hele dag geen woord gewisseld met mij, we nemen geen afscheid op de parking, als een dief in de nacht rijdt Crombé naar huis.

Zondag 15 oktober 2006

Ik heb niet goed geslapen, in bed heb ik de hele nacht gewoeld en gepiekerd. Om 08u30 zit iedereen gewoontegetrouw aan de ontbijttafel, ik probeer iets te eten maar krijg alleen koffie binnen. Om 09u30 rijden we naar de *Hantal* in Kortrijk om er te repeteren tot 14u30. Er heerst nog altijd een koude oorlog tussen Ignace en mij, ik voel mij machteloos en hopeloos, Ignace negeert mij omdat hij weet dat ik iets vermoed. Toch blijf ik mezelf moed inspreken en duw de inhoud van het sms'je van Ilie ver weg in mijn onderbewustzijn.

's Avonds dineren we in restaurant *Cyrano de Bergerac* te Kortrijk. Ik kan niet echt genieten van het sfeervol kader. Sinds vrijdagavond weigert Crombé elke dialoog. Al mijn vragen en pogingen tot communicatie negeert hij. Eenmaal terug in ons hotel ga ik meteen naar mijn hotelkamer. Ignace slaapt hier niet deze week, maar tijdens de repetities komt hij hier van hemd wisselen, zijn papieren inkijken en wat uitrusten. Als ik naar de kamerdeur loop, ontdek ik in het vuilbakje naast de deur een opgevouwen papiertje. Ik plooi het briefje open en lees:

Kom alsjeblieft naar kamer 21.

Het is het handschrift van Ignace, kamer 21 is onze reservekamer. Een kamer waar we beroep op doen als we extra gasten hebben. Verder op het briefje schrijft Ignace:

Ik ga nu naar boven naar de kamer en blijf daar ook. Maak je eerst helemaal klaar en probeer te komen. Verzin maar iets.

Ignace is al naar huis, ik bel hem op en confronteer hem met de inhoud van het briefje. 'Ach, dat is een briefje gericht aan Anne-Marie. Ze wilde gisteren haar speech voor de verkiezingsavond eens opzeggen voor mij alleen. Dat heeft ze gedaan in kamer 21', reageert hij.
Ik geloof Ignace, maar ik hou het briefje toch bij. Ik verstop het in mijn agenda.

Na het sms'je van Anne-Marie Ilie is er nu dit briefje van Ignace. Toeval of niet? Vorig jaar waren er al wat geruchten dat Ignace te dicht bij Céline Du Caju stond. Ook dàt heeft hij telkens geminimaliseerd. Laat ik mij telkens overdonderen door de *parlez* van Ignace? Ben ik naïef om te geloven dat er niets aan de hand is, dat mijn man niet geïnteresseerd is in de jonge meisjes? Een Miss-organisator jaagt niet op zijn Missen en laat geen verliefdheden toe! Mijn man gaat niet vreemd, ons huwelijk is ijzersterk, of niet? De tijd zal het uitwijzen.

Maandag 16 oktober 2006

Alle ogen zijn gericht op zaterdagavond. Vandaag worden de meisjes om 10u verwacht in de showroom van *Caroline*

Biss in Lebbeke om er kleding te passen voor de Gala-avond van volgende zaterdag. 's Middags *fitten* ze andere feestkleding bij de firma *Black Out*. Om 20u worden de finalisten verwacht in *Het Waaihof* te Kortrijk om er een acte de présence te verzorgen bij *De Ronde Tafel*, een serviceclub die zich inzet voor goede doelen. Om 00u15 arriveren we in ons hotel, ik blijf in mijn hotelkamer, Ignace slaapt voor de vierde nacht op rij thuis. Ook vandaag hebben we geen contact, de koelte en de kilte regeert. Ik heb de kracht niet om mijn bedenkingen en verlangens met Crombé te bespreken. Het zijn lange dagen en korte nachten, ik probeer al het gedoe met Ilie te minimaliseren en de Gala-avond van volgende zaterdag niet te hypothekeren.

Dinsdag 17 oktober 2006

Ik rij om 09u naar ons bureau. Onbewust controleer ik alles. Op kantoor ontdek ik in de papierversnipperaar versnipperde mails. Ignace versnippert nooit mails, nu liggen twee mails in reepjes van drie millimeter in de papiermand. Ik haal ze eruit en stop ze in een plastic mapje. Ik heb geen tijd om nu die mails te reconstueren, de volgende dagen zijn bijzonder druk, ik wil geen tijd verliezen met detective te spelen. De verkiezing staat immers voor de deur.

Deze voormiddag repeteren de finalisten in de feestzaal *Het Waaihof* te Kortrijk. 's Middags passen ze de avondkleding in *Hotel Cortina* de spanning stijgt, zeker als de 20 kanshebbers voor de eerste keer geconfronteerd worden met de jury en een gerechtsdeurwaarder. Op het programma staat een intelligentietest, maar het is ook een beetje een assertiviteitstest. In een apart zaaltje moeten de finalisten één voor één 15 minuten op allerhande vragen antwoorden. Ignace is opvallend geïnteresseerd in de prestatie van Anne-Marie Ilie. Hij volgt Ilie om te vragen hoe het is geweest en hij klampt ook juryleden aan om naar het verloop te peilen. Met andere meisjes doet hij dat niet. Zijn favoritisme valt echt op, ik hoop dat de andere meisjes niet jaloers worden op de eenzijdige intresse van Crombé. Ik pak al mijn moed samen en stap op hem af. Voor de eerste keer in vier dagen spreek ik hem aan. 'Je moet neutraal blijven', probeer ik hem te zeggen. Hij kijkt me geïrriteerd aan en zegt: 'Trek je daar niets van aan, ik weet waarmee ik bezig ben'. Nu weet ik het zeker. Crombé heeft gevoelens voor Ilie. Dat kan niet anders.

Om 19u15 dineren we met de 20 finalisten en de juryleden in de *Marquette* in Marke. Hier zijn we 23 jaar geleden getrouwd. Ik mijmer weg en hoop dat de verhouding tussen Crombé en Ilie een flirt is en geen langdurige en diepe verhouding wordt. Ik hou ze constant in het visier, maar het oogcontact en de conversaties tussen Crombé en Ilie blijven beperkt. Na de koffie ga ik slapen in mijn kamer. Meer dan een koele 'slaapwel, tot morgen', kan er bij Crombé niet af. Hij blijft niet bij mij slapen en rijdt nogmaals naar huis.

Woensdag 18 oktober 2006

Na het ontbijt in het *Hotel Cortina* rijden de finalisten naar het casino van Knokke om er te repeteren in het decor. Het is een slopende dag geworden, de meisjes arriveren doodop in het hotel. Nog steeds wisselt Ignace geen woord met mij. De finalisten nemen een douche en kleden zich op voor een maaltijd in *'t Fonteintje* in Geluwe, bij Wervik. Om 22u30 gaan we slapen, ik op hotel, Ignace thuis. Ik tel de dagen af en hoop dat Ignace na de finale meer mens wordt.

Donderdag 19 oktober 2006

Ook vandaag rijden de 20 finalistes na het ontbijt naar het casino van Knokke. Ze repeteren er heel intens tot 17u en keren dan terug om zich op te maken voor een groot en belangrijk moment. Om 19u30 kiezen alle kandidaten anoniem hun favoriete Miss, degene met de meeste stemmen wordt zaterdag beloond met de 'prijs van de sympathie'. Na de stemming wandelen we naar bistrot *Marie Jo* in Wevelgem. De hele avond speculeren we druk over wie de 'prijs van de sympathie' verdient. Ignace zondert zich af om de tafelschikking van volgende zaterdag op punt te stellen. Gedurende de dag praten we enkel over administatie en logistiek, over de spanningen in onze relatie wordt er geen woord gerept. Ook vanavond hetzelfde scenario, ik blijf op hotel, Crombé gaat thuis slapen. In bed waan ik mij in Absurdistan, oké alles moet zaterdagavond goed verlopen, het is het allerbelangrijkste moment van het jaar, we focussen alles op overmorgenavond, maar toch voel ik mij niet goed. Diep van binnen weet ik dat onze relatie fout zit en ik wil er met Ignace na de finale over praten. Alleen vrees ik dat hij de problemen weer zal weglachen.

Vrijdag 20 oktober 2006

In Knokke wordt voor de allerlaatste keer grondig gerepeteerd met Marlène de Wouters, de presentatrice van morgenavond. Om 18u30 arriveren de meisjes in het hotel, ze hebben een uurtje om zich op te maken voor het laatste avondmaal in *Hotel Cortina*. Je voelt de nervositeit en de ondraaglijke spanning, maar iedereen is toch positief. De uittredende Miss Belgian Beauty 2006 Céline Du Caju geeft iedereen een geschenkje en onze dochter Stéphanie verrast iedereen met een knuffelbeer en met een mooi kaartje met de volzin 'dat de beste moge winnen'. Om 22u moet iedereen verplicht naar bed, morgen is het de drukste en voor iedereen de belangrijkste dag van hun prille carrière als Miss Belgian Beauty-kandidate. Ook vanavond wil Ignace thuis slapen, ik lig lang wakker.

Zaterdag 21 oktober 2006

Vandaag organiseren we al de 16de Miss Belgian Beauty-verkiezing in een uitverkocht Casino van Knokke. Zoals elk jaar geven de kandidates het beste van zichzelf tijdens de choreografieën en de defilés. De finalisten doen het schitterend. Voor hen staat er veel op het spel. De winnares krijgt € 12.500,00, een Nissan Cabrio, een lederen salon ter waarde van € 10.000,00 en veel betaalde opdrachten. Na een spannende finale wordt Anne-Marie Ilie Miss Belgian Beauty 2007 gekroond, zij neemt het kroontje over van Céline Du Caju. Sofie Holvoet wordt eerste eredame, Julie Casier eindigt als tweede eredame. Opvallend is dat Sofie Holvoet na de kroning een hele poos weent. Eén van de sponsors vertelt me dat Sofie het gerucht verspreidt dat Ignace met Anne-Marie Ilie in bed heeft gelegen. Dat zijn roddels en leugens van een slecht verliezer, reageer ik schamper. Anderzijds twijfel

31

ik. Want ik zie vanavond dat mijn man vreemd doet na de show, hij is euforisch over de winnares en gaat te innemend om met Anne-Marie. Verschillende juryleden insinueren lachend dat Ignace hen heeft gepushed om Anne-Marie Ilie met punten te belonen. Ik schenk weinig aandacht aan die opmerkingen, ik steek er mijn hand voor in het vuur dat de verkiezing eerlijk is verlopen.

Om 05u verlaten we het casino en drinken een glas champagne en een koffie in de *Club Chagall*, een leuke bar pal aan het Knokse casino. Ik zag een mooie show, kreeg goede reacties en ben zeer tevreden. Om 06u liggen we in ons hotelbed. Ik ben uitgeput en denk nog even aan de reeks gebeurtenissen van de laatste dagen: dat bewuste sms, het bizarre briefje, het gerucht dat Ignace met Ilie sliep en de roddel dat Ignace de jury zou gemanipuleerd hebben om Anne-Marie Ilie te laten winnen. Het houdt mij allemaal bezig, maar ik geloof te sterk in onze relatie om te blijven piekeren.

Zondag 22 oktober 2006

Thuis komen de felicitatiefaxen en bedankingsmails binnen. Toch blijf ik gehypnotiseerd door de zaak Ilie. Ignace zit nu voor zijn computer te tokkelen. Ik bekijk hem, ik probeer mijn man te doorgronden en vraag mij af of hij een affaire heeft met Miss Belgian Beauty 2007. Zou Ilie het aandurven om met een man van 51 aan te pappen? Het zijn vragen die mijn dag blijven domineren. Maar tegen Ignace rep ik geen woord over mijn vermoedens. Ik weet dat ik mijn bedenkingen subtiel moet aanbrengen, wachten is een goede raadgever.

Maandag 23 oktober 2006

Het jaar van de Miss begint met een hele reeks actes de présences, televisie-optredens, interviews, fotoshoots, opdrachten en bezoeken aan sponsors. Ignace is deze morgen al vroeg vertrokken voor een hele reeks afspraken. Vanavond zit Anne-Marie Ilie in *De Laatste Show* met Frieda Van Wijck. Ignace voert haar naar Brussel. Na de opnames wordt Ilie in de *Carré* in Willebroek verwacht. Nadien rijdt Ignace terug naar huis in Bissegem. Ilie blijft overnachten in *Hotel Cortina* in Wevelgem, op een boogscheut afstand van onze woning. Ignace komt rond 02u thuis en kruipt voorzichtig in bed.

Dinsdag 24 oktober 2006

Ignace begeleidt Anne-Marie Ilie overal naartoe. Tot mijn grote verbazing volgen ze ook samen Franse les in Gent. Ignace neemt Anne-Marie Ilie zelfs mee naar een sponsor om over de contracten van volgend jaar te onderhandelen. Dàt is nieuw. Ik vraag Ignace waarom dat gebeurt. 'Ach, ze wil bijleren', mokt hij. Toch vind ik het bizar dat Ignace openlijk over de budgetten, onkosten en de omzet van de Miss Belgian Beauty-verkiezing praat. Ignace schept de indruk dat Anne-Marie niet zelfstandig is en nauwe begeleiding nodig heeft. Ondertussen stapelt alles zich op: het bewuste sms'je, het handgeschreven briefje, het gerucht dat Ignace met Ilie sliep, de roddel dat Ignace de jury zou gemanipuleerd hebben, samen naar de Franse les, Ilie mee naar de sponsor, Ilie in een hotel op 5 kilometer van ons huis... Ik voel dat het niet klopt. Zodra ze op kantoor zijn vraag ik het hen op de man af. 's Avonds ronden Ignace en Anne-Marie de dag af met een gebruikelijk bezoek aan ons kantoor *Animô*. Daar wordt zoals voorzien de agenda voor de rest van de week besproken. Ik ben in alle staten en vraag wat er allemaal aan de hand is. 'Hebben jullie een affaire?', vraag ik. Beiden ontkennen alles. Ik word bijna hysterisch. Ik rakel nog eens haar berichtje op. 'Zoiets als 'ik zie je graag', stuur ik ook naar mijn papa', reageert Anne-Marie. Ik geloof hen niet, dat kan allemaal niet kloppen, ze liegen. In onze agenda is het voorzien dat we alle drie ergens gaan eten in Kortrijk. Ik weiger en blijf thuis. Ignace en Anne-Marie laten hun kans niet voorbijgaan. Om 01u komt Ignace thuis. Na wat rommelen in zijn bureau komt hij naast mij slapen, we liggen rug aan rug, er wordt niets gezegd.

Woensdag 25 oktober 2006

Nadat Ignace en ik deze morgen nog maar eens een vlammende ruzie hebben over Anne-Marie stapt hij zeer vroeg de deur uit. Crombé heeft een drukke agenda en is ook vandaag niet op kantoor te bespeuren. Ik bel hem voor enkele zakelijke vragen met betrekking tot sponsordossiers.

Eenmaal thuisgekomen werkt Ignace stilzwijgend door op zijn bureau tot na middernacht, hij geeft de indruk dat hij niet gestoord wil worden. Ik weet dat ik dat dan beter niet doe. Allicht is het een list om niet over Ilie hoeven te praten.

Vrijdag 27 oktober 2006

Onze dochter Stéphanie komt terug van een weekje school in Gent. Ze had naar eigen zeggen een leuke week op het internaat. Vanavond werkt ze wat voor school, morgen wil ze met vrienden uitgaan in Kortrijk. Stéphanie is een aangename afleiding thuis, ze doet mijn zorgen vergeten en zorgt voor energie. De dialogen tussen Ignace en mij zijn kort en zakelijk, weinig belovend voor het weekend.

Zaterdag 28 oktober 2006

Ignace is het hele weekend niet thuis. Hij is opvallend veel uithuizig de laatste dagen. Ik vergelijk zijn agenda met de vorige jaren. Hij begeleidde Miss 2006 Céline Du Caju en Miss 2005 Cynthia Reekmans veel minder merk ik. Ik probeer die harde analyse weer eens te onderdrukken en ben heel het weekend in de weer met Stéphanie. Ik voer haar naar de dictieles en de toneelles, tussendoor winkel ik in de *Delhaize* en 's avonds kijken we samen naar een blockbuster op VT4. Crombé komt 's nachts laat thuis, ik lig wakker, dat weet hij, maar hij zegt niets.

Zondag 29 oktober 2006

Ignace verlaat 's morgens stilzwijgend het huis. Anne-Marie Ilie geeft vandaag een acte de présence bij een belangrijke sponsor van de Miss Belgian Beauty-organisatie. In de showroom van *Geko Woonwereld* in Kruishoutem-Zulte poseert Ilie met klanten voor een foto en zet ze handtekeningen op fotokaarten van de woonmeubelfabrikant. Ik werk de hele voormiddag op bureau. Daar voer ik betalingen uit, check de mails, schrijf bedankbrieven naar de sponsors en maak facturen. Daarna doe ik de was van Stéphanie, want zij moet morgen met een frisse valies naar haar internaat. Na het avondmaal ontsteek ik de open haard en beleef een gezellige avond met Stéphanie. Ignace komt thuis, hij deelt mee dat *Geko Woonwereld* ook volgend jaar blijft sponsoren. Normaal drinken wij daar altijd een glaasje wijn op, nu niet, ik zie met lede ogen dat de afstand tussen ons groter en groter worden.

Zondag 5 november 2006

Ignace is al weken bijna niet thuis. Hij vergezelt Ilie werkelijk overal. Gisteren zat hij tot in de late uurtjes met haar in dancing *Etcetera* in Machelen-Zulte. Vandaag begeleidt hij Anne-Marie Ilie nog eens naar *Geko Woonwereld* in Zulte, 's avonds volgt het duo samen de voetbalwedstrijd Lokeren-Club Brugge op Daknam en Crombé gaat ook nog mee naar dancing *Diedjies* in Kuurne. Als Crombé uiteindelijk thuis komt is hij zwijgzaam, het enige wat hij meegeeft is dat Lokeren de wedstrijd heeft gewonnen met 3-2. Een fijne troost. Praten heeft geen zin, Crombé faket oververmoeidheid.

Maandag 6 november 2006

Stéphanie is deze morgen goed gezind naar school vertrokken, ik verdring al weken mijn verdriet en voel me steeds slechter worden. Deze voormiddag werkt Ignace thuis, we zitten sinds lang nog eens samen op kantoor, hij aan zijn bureau, ik aan het mijne. 'Waarom moet toch jij zoveel met Ilie optrekken, je hebt toch ook nog je gezin', hou ik hem de spiegel voor. 'Ze heeft nu eenmaal veel begeleiding nodig', verdedigt hij zich. Het gesprek is te confronterend voor Ignace. Hij staat meteen op en stapt ons bureau uit. Ik geef het op. Crombé geeft al weken een arrogante indruk, alsof niets hem kan raken, alsof hij geen verantwoording hoeft af te leggen. Al de pogingen tot het voeren van een gesprekje resulteerden de voorbije weken in gemopper, gesakker en geruzie. Ik hou hem vanaf nu nog nauwlettender in het oog en wacht het juiste moment af om zijn relatie met Ilie te bekritiseren. Ik heb wat meer informatie nodig over zijn verhouding met Ilie.

Donderdag 9 november 2006

Ik werk al de hele week door aan de dossiers en aan de evenementen die *Animô* de volgende maanden organiseert. We bereiden acht sinterklaasfeesten voor. Ignace is amper thuis.

Vrijdag 10 november 2006

De voorbije week is voorbij gevlogen. Stéphanie is terug van een weekje school. Ik probeer mijn persoonlijk verdriet voor haar te verstoppen en het mijn dochter naar haar zin te maken.

Zondag 12 november 2006

Ignace was amper thuis dit weekend. Hij belt aanmerkelijk minder met mij dan vroeger en heeft totaal geen belangstelling voor Stéphanie. Ik maak mij echt zorgen, van intimiteit is al weken geen sprake meer.

Zaterdag 18 november 2006

Samen met Anne-Marie Ilie presenteert Ignace een Sinterklaasfeest in Sint-Denijs. Gewoontegetrouw stel ik het podium op. Na de show hebben Ignace en Ilie woorden, Crombé vind dat ze te veel praat met een van de organisatoren. Hij trekt haar Miss-lint van haar lichaam en stapt weg. Ik stap op de kemphanen af en stel voor om de discussie thuis uit te praten. Eenmaal op het bureau vraagt Crombé om hen alleen te laten. Om de gemoederen te bedaren druip ik af. Na het gesprek rijdt Ilie nog naar een acte de présence in dancing *Carré Casino* in Middelkerke. Het doet me deugd om te zien dat Crombé en Ilie ruzieën, het vermoeden dat ze een affaire hebben, slinkt. Maar toch weet ik dat alles *à la minute* kan heropflakkeren. Ik voel mij volledig aan mijn lot overgelaten, ik ben compleet afhankelijk van de willekeur van hun affaire. Ingrijpen kan ik niet, ik heb angst voor de omgekeerde reactie, dat Crombé voluit gaat voor Ilie.

Maandag 20 november 2006

Morgen verjaart Ignace. Hij wordt 50, een halve eeuw. De tijd vliegt. Al weken wil ik een groots feest organiseren, maar al evenlang zegt mijn onderbewustzijn om dat niet te doen. Toch heb ik een restaurantje gereserveerd. Ik pik Stéphanie op in haar internaat in Gent en rijd naar een leuk restaurant in de Donkersteeg in Gent. Crombé zit al aan tafel met Miss Belgian Beauty Ilie. Het familie-etentje wordt een zakendiner. Na het etentje breng ik Stéphanie terug naar het internaat, Crombé en zijn Miss hebben andere plannen. 's Avonds probeer ik alles nog maar eens te minimaliseren en me voor te houden dat het een vluchtige flirt is die snel zal overgaan. Nooit heb ik zo diep gezeten.

Zaterdag 25 november 2006

De voorbije week was een hel. Ignace had deze week bijna twintig afspraken en is doodop. Ik heb de voorbije week helemaal alleen op bureau gezeten. Ik kan nog steeds niet bewijzen dat Crombé en Ilie een affaire hebben met elkaar, maar ik voel en weet dat het waar is. Ik zie zijn bedrog in zijn ogen en voel de leugen in zijn praatjes. Ik trek mij aan één ding op: ik wil dit gezin samenhouden en blijf hopen dat het vreemdgaan van Crombé niet meer is dan een korte midlife crisis. Crombé is al langer onrustig en heeft momenteel alle symptomen van een oudere man met een identiteitscrisis. Hij vlucht letterlijk het huis uit, speelt met het idee zijn gezin achter te laten, heeft geen interesse voor vrouw en kind, is zeer egoïstisch en heeft enkel aandacht voor een jongere vrouw. Ik weet niet hoe ik bij dit alles rustig blijf, ik ervaar mijn relativeringsvermogen als een sterkte en een gave. Maar toch is die eenzaamheid snijdend en leven in het ongewisse is leven in ontreddering. Ik weet niet hoe lang deze impasse zal duren, ik weet niet wat in Crombés hoofd speelt, ik weet niet of ik het nog lang kan volhouden.

Vrijdag 1 december 2006

's Avond hebben Ignace, Stéphanie en ik een traditioneel etentje met juffrouw Roos, de kleuterjuf van het eerste kleuterklasje van Stéphanie. We hebben altijd een goed contact gehouden met Roos. Het is een gezellige avond en even zijn we terug een hecht gezin. Maar snel wordt mijn illusie gebroken. Er is constant gebel tussen Crombé en Ilie. Ilie luistert een feest op van de Roemeense gemeenschap in België. Het wordt mij te veel, ik neem Crombés gsm en stuur Ilie een sms. 'Laat ons vanavond aub alleen'. Ze heeft geen respect voor één van de weinige familiemomenten. Ignace weigert alle commentaar.

Zaterdag 2 december – zaterdag 23 december '06

Op kantoor wordt routineus gepraat, thuis is Ignace onvindbaar. Alles staat in functie van het werk. De komende weken beloven *stressy* te zijn, op het programma staan heel wat sinterklaasfeesten waarvoor Ignace de presentatie en coördinatie op zich neemt. Ik assisteer die dagen, help mee de apparatuur te laden en te lossen, decors op te bouwen en te zorgen dat de kostuums klaar liggen.

Ik haspel de activiteiten en evenementen af op automatische piloot. Eén hoop heb ik, dat Crombé zich tijdens de kerstdagen herpakt. Mijn strategie is koelbloedig blijven en vooral geen discussie uitlokken. Ik mag zeker niet kwaad worden, dat zou Ignace misschien aanzetten om het huis uit te vluchten en definitief te kappen met zijn gezin. Ik blijf hopen en probeer Ignace te charmeren. Zolang hij thuis komt slapen, probeer ik er verschroeiend goed uit te zien. Maar hij raakt mij met geen vinger aan. Geen hand op mijn schouder, geen knuffel, geen zoen, geen streling. Ik ga langzaam dood van binnen. Mijn emotioneel leven stelt niets meer voor.

Zondag 24 december 2006

Vanavond is het kerstavond, dat vieren we traditiegetrouw thuis met ons drieën, wij drie tegen de wereld, rustig weg van alle drukte en heisa. Thuis probeer ik het gezellig te maken, na het aperitief eten we traditiegetrouw een visschotel, we geven elkaar pakjes en kijken wat tv. Ignace probeert toenadering te zoeken door leuke gespreksonderwerpen aan te snijden, maar toch blijft hij afwezig. Er is nog altijd een kink in de kabel, zoveel is duidelijk. Gelukkig maken we, zoals de traditie het wil, plannen om morgen naar zee te gaan.

Al bij al hoop ik dat we als gehuwd stel in 2007 opnieuw kunnen starten met een bruisende relatie. Ik wens dat Ignace nauwer naar zijn dochter en naar mij toegroeit, ik reken erop dat we alle drie meer dingen samen doen. Het is de week van de hoop. Ik besluit de avond met de gedachte dat deze kerst goed verloopt maar Ignace wil niet vrijen vanavond.

Maandag 25 december 2006

's Morgens pakken we onze valiezen en rijden we naar ons appartement in Nieuwpoort waar we een week willen verblijven. De zee doet ons goed, sinds lang zijn we uren samen. En we genieten van de lange wandelingen, fietstochten en het diner 's avonds.

Woensdag 27 december 2006

Na amper drie dagen wil Ignace onvoorzien naar huis, zogezegd om zijn mails te lezen, maar ik vermoed dat hij weer liegt. Ignace suggereert dat ik beter met Stéphanie aan zee blijf om van de zeelucht te genieten. Dat weiger ik en na veel heen en weer gepraat vertrekken we allemaal naar huis. In de wagen is Ignace zeer nors, hij ziet waarschijnlijk zijn stiekeme afspraakjes met Ilie verdampen. Aan mijn goede voornemens komt abrupt een einde.

Thuis open ik de mailbox, ik open een mail van Crombé naar Ilie en zie de zin 'ik hou van jou'. 'Wat heeft dit nu weer te betekenen?', vraag ik. 'Dat heeft helemaal niets te betekenen', wimpelt hij af. Net nu ik hoopte dat het ergste voorbij was, krijg ik dit gepresenteerd. Ik ben geshockeerd en wil niets meer met Crombé te maken hebben, ik ga vroeg slapen.

Donderdag 28 december 2006

Ik ben echt razend. Mijn weken van *goodwill* zijn definitief voorbij, ik heb lang genoeg geprobeerd om stilzwijgend de ene emotionele uppercut na de andere te incasseren. Ik pik het gedrag van meneer Crombé niet meer. Werken blijf ik doen, maar nu moet hij de eerste stap zetten voor een verzoening. Ik praat met niemand over mijn huwelijksproblemen omdat ik stiekem toch nog hoop dat alles goed komt. Stel dat ik nu over het gedrag van Crombé praat met vriendinnen en stel dat over enkele weken alles weer goed komt tussen ons, dan begint het geroddel! Ik hou liever alles geheim.

Zondag 31 december 2006

Ik heb al sinds 13 oktober niet gevreeën met Ignace. Ik ben een vrouw, dus ik weet dat Ignace met Anne-Marie Ilie in zijn hoofd zit. Naar jaarlijkse gewoonte vieren we nieuwjaarsavond bij één van onze bevriende koppels. Dit jaar organiseren Carine en Dirk een imposant feest voor drie koppels. Tussen de geanimeerde gesprekken door zegt Crombé al lachend dat hij een lief heeft. Dat ene zinnetje blijft mij de hele avond bij. Om middernacht geeft Ignace mij een zoen, hij wil er een goed jaar van maken. Ik hoop echt dat mijn onrust in 2007 plaats maakt voor energie en rust. Op deze manier hou ik het geen maanden meer vol.

Dinsdag 16 januari 2007

En zo vliegt januari voorbij, met een down gevoel. Ik verlies me bewust in het werk. Er komen heel wat inschrijvingen binnen voor de Miss Belgian Beauty-verkiezing van oktober. Ignace herpakt zich enigszins in zijn relatie met mij, hij is beleefder, maar de liefkozingen blijven uit. Ook vanavond blijft hij liever op kantoor werken dan met mij te slapen.

Donderdag 25 januari 2007

Om 11u is er een persconferentie in *Hotel Keizershof* in Aalst om de nieuwe Miss Belgian Beauty-verkiezing 2008 te lanceren. De huidige Miss 2007 Ilie is ziek, maar toch aanwezig. Crombé laat de persfotografen foto's nemen in een suite van het hotel. Crombé wil naast Ilie liggen op het bed. Ik vraag hem of dit nodig is. 'Ach Miriam, dat zijn gewoon leuke kiekjes', lacht hij.

Donderdag 8 februari 2007

Vandaag vindt voor de tweede keer de Lotto Zesdaagse plaats in de *Ethias Arena* in Hasselt. Ignace vergezelt Ilie op de 6-daagse. Na maanden van speculaties, ongemak en woede vind ik eindelijk de tijd en de kracht om de versnipperde mails die ik op 17 oktober heb gevonden te reconstrueren. Het is een moeizame klus, alle A-4 bladen zijn versnipperd. Ik puzzel urenlang de mails in elkaar en merk dat de twee mails geadresseerd zijn aan Anne-Marie. Ze werden door Ignace verstuurd. In de mails staan lijstjes met de dagen waarop ik niet op kantoor ben en wanneer wel. Naast een datum staat een M: M staat voor Miriam. Soms staat er 'M niet thuis'. Anne-Marie krijgt wekelijks een lijst met de dagen en uren waarop ze voor activiteiten of evenementen wordt verwacht. Deze mail is van een verdacht allooi. Het zijn duidelijk agendapunten om afspraakjes te maken. Ik herlees fragmenten uit de mails.

Dag Schat,
Vrijdagmiddag is M om 14 weg en dit tot 16 uur
xxx

Ik ben onthutst. Het is glashelder en onbetwistbaar dat Ignace misbruik maakt van zijn macht en een jong meisje van amper 22 imponeert met zijn positie, imago en zijn geld. Ik loop nu al een hele maand rond met het juiste vermoeden. Ik fotokopieer de mails en bel naar de moeder van Ignace. Ik vraag haar of ik even mag langskomen. Om 19u rij ik naar Koksijde. Het is koud en regenachtig op de autoweg. Eenmaal op het appartement bij moeder Christiane doe ik mijn verhaal. Ik toon haar de mails. Ook zij is verontwaardigd over het gedrag van Ignace. We beslissen het binnenskamers te houden en ik druk mijn schoonmoeder op het hart dat ik er alles aan zal doen om mijn huwelijk te redden. Ze heeft tranen in de ogen en weet niet wat te doen. Ik blijf nog even om haar te kalmeren. Om 23u rij ik terug naar Bissegem, ik ben in alle staten. Onderweg in de wagen bel ik Ignace, ik deel hem mee dat ik voor mijn huwelijk vrees en dat ik daarom zijn moeder heb gesproken. Hij lacht alle commotie weg. Ik geef hem mee dat ik nieuwe bewijzen heb en duw mijn Nokia uit. Thuis drink ik een paar koffies en ga in de zetel zitten, ik zap en dood de tijd. Om 01u komt Ignace thuis. Ik ontplof en geef hem de volle lading. 'Er zijn de berichtjes naar Anne-Marie, het papiertje in de hotelkamer en nu deze mails', zeg ik. Ik hou de mails voor zijn gezicht. Ignace verbleekt, draait zich in het rond en geeft toe dat hij seks had met Anne-Marie in ons bed. 'Ze heeft mij verleid om te winnen. Het is nu voorbij tussen ons', zegt hij. 'De relatie duurde 3 maanden'. Hij vertikt het om zich te verontschuldigen. Ik word niet goed. Ik voel me gebroken en verontwaardigd, de wereld zakt onder mijn voeten weg, vandaag weet ik dat Ignace mij bedrogen heeft. Hoelang weet ik niet, dat wil de ontrouwe Missmaker me niet zeggen. Maar hij heeft vandaag na maanden van leugens en bedrog eindelijk toegegeven wat ik al langer dacht: hij ging meermaals naar bed met Miss Belgian Beauty 2007 Anne-Marie Ilie.

Hoe is het in hemelsnaam mogelijk dat een man van bijna 50 een miss-kandidate opvrijt, en erger nog: ermee naar bed gaat. En als Ilie hem probeert op te vrijen zoals Ignace zegt, hoeft hij er toch niet op in te gaan. Ik voel me bedrogen, machteloos en vernederd. Ik ben ontzettend boos en begin te roepen. 'Hoe kun je dit doen'. Ignace vraagt om het hem te vergeven. 'Laat ons opnieuw beginnen met een nieuw elan', zegt hij. Ik moet even bekomen en stap ontzet de trappen op naar onze slaapkamer. In de badkamer begin ik te huilen. Hoe is het mogelijk dat Crombé, de man met wie ik 23 jaar ben getrouwd zulke dingen doet.

Vrijdag 9 februari 2007

Ik sleep me doorheen de dag en gun Ignace geen blik. Is dit zijn midlifecrisis? Is dit het ergste wat ik moet meemaken? Kan hij het vertrouwen herstellen? Klopt het als hij zegt dat 'het voorbij is'? Moet ik hem verlaten? Alle mogelijke scenario's schieten door mijn hoofd.

Ik vraag hem wanneer hij is vreemdgegaan, waar hij het gedaan heeft, hoe vaak, of het liefde of seks was. Crombé antwoordt niet en verdwijnt in zijn bureau. Ik begrijp niet dat Crombé een seksuele relatie had met Ilie. Het is een lafaard die zijn gezin op het spel zet. Er is geen enkel excuus om je vrouw te bedriegen. Ik weet wel dat er veel overspel wordt gepleegd, maar daar zijn altijd redenen voor. Onze relatie heeft al die jaren geen dipjes gehad. Ons liefdesleven was goed, er waren nooit spanningen en we hielden van elkaar. Sinds enkele maanden is het anders, Ignace geeft me geen aandacht meer en is vaak uithuizig. Ik dacht dat hij de laatste maanden gestresseerd was. Niet dus, al zijn vrije tijd ging naar Miss Ilie.

Zaterdag 10 februari 2007

Naar jaarlijkse gewoonte is de Miss Belgian Beauty uitgenodigd om de presentatie te verzorgen van de uitreiking van de Sporttrofeeën van de gemeente Knokke. Ik ga elk jaar mee, maar nu beweert Ignace dat er maar twee kaarten zijn opgestuurd, één voor hem en één voor Ilie. Hij wil dat ik thuisblijf.

Woensdag 14 februari 2007

Ignace vergeet Valentijn. Geen romantisch etentje, geen bloemen, geen kaartje, dat is al jaren zo. Ook vandaag blijft onze huwelijkscrisis duren. Hoe groeien wij in hemelsnaam terug naar elkaar toe, daarvoor is een mirakel nodig. Nadat Ignace zes dagen geleden zijn affaire met Ilie heeft bekend, gaat het zeer slecht tussen ons. Hij weigert een open gesprek met als thema Ilie. Ik kan zijn domheid niet begrijpen. Beseft hij wel wat hij allemaal op de helling zet? Zijn gezin, de zaak, ons huwelijk. En wat als de pers dit te weten komt? Hoe geloofwaardig is Ignace dan nog? Ik doe iets wat veel vrouwen doen in zulke situaties. Nadenken en mijn leven overschouwen. We zijn al zo lang samen, kan ik hem die misstap vergeven? 'Ja, die Miss-stap moet ik vergeven', zucht ik. Ik zie zijn wangedrag door de vingers en probeer in functie van ons gezin alles terug op te bouwen. Gemakkelijk is het niet en hopelijk ziet hij mijn vergevingsgezindheid niet als een vrijkaartje voor nieuwe affaires. Toch blijf ik hopen dat het goed komt tussen ons en dat Ilie niet meer dan een banale bevlieging was. Een honger naar wat aandacht en spanning, wat nahollen van een vleselijke lust. Tot mijn eigen verbazing wil ik hem zijn misstap vergeven. Ignace toch, waarom kies je toch voor die Ilie?

Donderdag 15 februari 2007

Ik vraag mij af waarom ik Ignace zijn bedrog wil vergeven. Het is wel dapper van mij dat ik bij Ignace blijf na zijn overspel. De reden is dat ik hem niet kwijt wil, hij is de vader van Stéphanie en gek genoeg zie ik hem nog graag. Maar het zal moelijk zijn om hem terug in mijn armen te sluiten, om hem terug te zoenen, om terug te vrijen. Ik probeer mij nu al vijf dagen te verzoenen met de theorie dat seks en liefde twee verschillende gevoelens zijn. Het is slopend.

Zondag 18 februari 2007

Er is geen beterschap in onze relatie, Ignace negeert mij. Ik pieker nu al maanden over het gedrag van Anne-Marie Ilie, wat ze de voorbije maanden heeft uitgespookt stoort mij mateloos. Ze heeft mijn man verleid en ons huwelijk kapot gemaakt. Bovendien is de relatie tussen Ignace en Stéphanie volledig gebroken. Ik deel Ignace mee dat ik de gereconstrueerde e-mails wil faxen naar de ouders van echtbreekster Ilie. 'Je moet doen wat je niet laten kunt', reageert hij lauw. Al hoopt hij diep van binnen dat ik het niet doe.

Maandag 19 februari 2007

Als ik van de keuken naar ons kantoor stap hoor ik toevallig een telefoongesprek waarin Ignace tegen Anne-Marie zeer duidelijk is:

Nu ben je hier plots te laat, toen het nog was om te vrijen was je steeds op tijd.

Ik reageer niet en noteer deze zin op een klein papiertje. Uit het gesprek leid ik af dat de affaire definitief verleden tijd is. Ik ben gerustgesteld, uit het gesprek analyseer ik dat Anne-Marie de affaire heeft gestopt. Zij heeft Crombé gedumpt, zoveel is duidelijk. Maar Crombé is duidelijk nog nijdig. Het besef dat je op een oneerlijke manier werd verkozen tot Miss Belgian Beauty moet toch in haar hoofd spelen? Hoe kun je een acte de présence geven, wetende dat je onverdiend bent gekroond? Waarom heeft dit meisje het lef niet om haar lint terug te geven? En waarom maakt Crombé zich niet los van zijn affaire, waarom geeft hij zijn gezin geen nieuws kans? Weer trek ik naar de slaapkamer met niets anders dan vragen.

Woensdag 21 februari 2007

Op ons bureau hebben wij al lang duidelijke afspraken. Om de administratie vlot te laten verlopen is er openheid van boekhouding, we mogen elkaars e-mails lezen en hebben geen geheimen. Vandaag vraag ik expliciet aan Ignace om in zijn mails naar Ilie niet meer de woordjes 'lieve' en 'lieveling' te gebruiken. Het is echt ontnuchterend en schandalig dat hij dat tot op vandaag blijft doen. Crombé is Crombé: hij print een papier uit met een academisch geformuleerd antwoord:

Miriam,
Ik beloof dat ik voortaan, Anne-Marie alleen zal aanschrijven met 'beste' en niet meer met 'lieve' of met 'lieveling', aangezien je hiermee niet akkoord gaat in een zakelijke relatie.
Ignace

Zaterdag 24 februari 2007

Ik wil mijn huwelijk redden. Vandaag heeft Anne-Marie Ilie een pak opdrachten. Ze is zeker niet bij haar ouders in Mol, ik zie mijn kans om de mails, die duidelijk maken dat ze een affaire hebben, naar haar ouders te faxen. Ik wil hen op de hoogte brengen van het gedrag van hun dochter. De confrontatie met de waarheid zal niet makkelijk zijn, maar hopelijk kunnen zij hun dochter op betere gedachten brengen. Ik pik het niet dat een Miss mijn man seksueel chanteert.

Zondag 25 februari 2007

's Avonds laat reageren de ouders van Ilie op mijn faxen. Ze schrijven in een mail hoe ontgoocheld ze zijn in hun dochter. Ze dachten dat Anne-Marie enkel een professionele relatie had met Crombé. De mail wordt op zondag 25 februari 2007 om 22u47 verzonden naar info@animobvba.be

Geachte Mevrouw Crombé,

U vroeg onze reactie op de door u gezonden fax en bericht.

Wij zijn beschaamd en zeer diep verontwaardigd in onze dochter. Het is beneden alle peil wat wij gelezen hebben.

Wij gingen er vanuit dat de verstandhouding puur professioneel was en hadden hieraan nooit getwijfeld.
Dit zal zich niet meer afspelen in de toekomst nu wij alles controleren.

Wij bieden u onze excuses aan en Anne-Marie zal dit ook doen voor de aangerichte schade in uw gezin en organisatie.

Met vriendelijke groeten,
Gheorghe en Tina Ilie

Hoe is het mogelijk dat Anne-Marie Ilie met deze waarheid

kan leven. Ze heeft misbruik gemaakt van haar vrouwelijk-heid en had seks met de organisator van Miss Belgian Beauty met één doel: Miss Belgian Beauty winnen. Ze had nog niet de klasse en de intelligentie om het heimelijk te doen. Ik word van alle kanten over de affaire op de hoogte gebracht. Ilie is Miss Canapé 2007, een opportunistische bimbo die helaas nog meer dan zeven maanden lang onze organisatie Miss Belgian Beauty moet vertegenwoordigen. Het worden moeilijke maanden, maar ik voel mij sterk.

Zondag 4 maart 2007

Ik wil tijdens de maanden dat Anne-Marie Ilie nog Miss Belgian Beauty is, een mogelijke heropflakkering van de affaire tussen Anne-Marie en Ignace in de kiem smoren. Ik wil controle. Vandaag vertel ik Anne-Marie dat ik het verhaal naar buiten wil brengen. Ze schrikt en vraagt bevend of ze iets kan doen om erger te voorkomen. Ilie beseft heel goed dat ik haar carrière kan ruïneren als ik haar verhouding lek. Ik heb en eisenpakket. Ik spreek met haar af dat ze alle sms-berichten die Ignace naar haar stuurt en de sms'en die zij naar Crombé sms't integraal en authentiek doorstuurt naar mijn gsm. Ilie zal dat doen tot de nieuwe Miss Belgian Beauty is verkozen en ik eis dat Ignace het niet mag weten.

Ilie wil al maanden niet toegeven dat ze een affaire heeft of had met Crombé. Ook vandaag niet. Toch gaat ze in op mijn eisen. Dat is veelzeggend, want daarmee geeft ze haar dubieuze hoofdrol in deze affaire toe.

Woensdag 7 maart 2007

De voorbije week brengt heel wat onzekerheden met zich mee. De Belgacomfacturen tonen aan dat Ignace nog zeer frequent telefoneert met Anne-Marie Ilie. Beiden haspelen nog steeds samen heel wat actes de présences af. Maar ik laat het niet meer aan mijn hart komen. Uit de sms'en die Ilie mij - zoals afgesproken – doorstuurt, blijkt dat Ignace haar stalkt en lastig blijft vallen. Crombé werd weken geleden gedumpt en kan dat blijkbaar nog steeds niet verkroppen. Crombé kennende zal hij daar nog lang woest en boos over zijn. Zoals steeds komt Ignace pas na middernacht slapen.

Zaterdag 10 maart 2007

Ik heb de laatste dagen een verschrikkelijke terugslag. Die affaire van Ignace weegt zwaarder op mij dan ik dacht. Ik herken mezelf niet meer, ik ben pessimistisch en down. Niets kan me aan het lachen brengen, ik heb geen zin meer om te werken. Iedereen merkt dat er iets mis is, maar ik kan niet zeggen wat er mij al maanden uit mijn lood slaat. Als ik Ignace er nog eens over aanspreek, reageert hij shockerend. 'Je kent de wereld niet, iedereen heeft een lief', slingert hij mij naar het hoofd.

Ik moet het kwijt. Na de middag vertel ik aan Stéphanie dat Ignace vreemd ging met Anne-Marie. Stéphanie merkt ook dat ik aan het einde van mijn latijn ben. Ik ben zichtbaar vermagerd. Het lucht echt op dat ik het nieuws kan delen met Stéphanie, anderzijds is het wel een zware confrontatie voor onze dochter. Ze wil er niet over praten en verdwijnt de hele dag in haar kamer. In huis heeft Stéphanie een speciaal plaatsje voor zichzelf. We hebben de zolder volledig ingericht met een klein televisietoestel, een groot bed, leuke meubeltjes en en knusse zetel. Het is haar plekje.
De deur van haar zolderkamer is gesloten. Ik ben in paniek en probeer te communiceren via mail. Ik schrijf haar hoe de situatie thuis is, dat haar vader een affaire heeft gehad, dat het lastig is en dat ik hoop dat we er samen uitkomen. Gelukkig antwoordt ze. Ze krijgt een afkeer van haar papa. Ik probeer die negatieve gevoelens te minimaliseren.

Zondag 11 maart 2007

Vandaag vindt de preselectie voor de Vlaamstalige meisjes plaats in *Hotel Serwir* in Sint-Niklaas. Ik ontmoet er de schepen van Sport van Knokke die mij vraagt waarom ik niet aanwezig was op de uitreiking van de sporttrofeeën in Knokke op 10 februari. Ik deel hem mee dat we maar twee kaarten kregen. 'Larie', zegt hij. 'Ik heb er drie laten opsturen'. Ignace heeft dus gelogen om die avond alleen door te brengen met Ilie, ik wil er niet aan denken welke leugens Crombé nog allemaal heeft verzonnen.

Maandag 12 maart 2007

Mijn relativering maakt plaats voor boosheid. Ik confronteer Crombé dagelijks met zijn onvergeeflijke misstappen. Het is een hel thuis. In het bureau vliegen de verwijten over en weer. Ik kan het wangedrag van Ignace niet verkroppen. In al die jaren heb ik hem nooit betrapt op overspel. Ik zag dat niet in hem. Hij gaf me altijd de indruk dat ik *the one and only* was. Veel complimenten gaf hij niet, maar toch was ik al die jaren een gelukkige vrouw. Ik werkte hard, van 's morgens tot 's avonds en ook op feestdagen, maar ik deed het allemaal voor Ignace en de zaak. Ons gezinsleven had wel te lijden onder de stapels orders en verplichtingen, maar desondanks hoopte ik op beterschap. 's Avonds aten we samen in de keuken, maar nadien zaten Stéphanie en ik alleen in de living te praten of naar de televisie te kijken. Ignace was er bijna nooit, hij werkte constant in zijn bureau.

Ik herinner mij dat Stéphanie ooit ontzet thuiskwam. In de godsdienstles had ze geleerd dat het zondag rustdag was. Ze zei: 'De meester heeft gezegd dat zondag rustdag is en dat ouders dan altijd leuke dingen doen met hun kindjes.' Dat sneed toen recht in mijn hart. Vanaf dat moment probeerde ik er zoveel mogelijk te zijn voor haar. We gingen shoppen en pikten musicals en optredens mee. Tot op vandaag probeer ik ervoor te zorgen dat Stéphanie niets te kort komt, helaas is Ignace er weinig.

Donderdag 15 maart 2007

's Middags belt Ignace weer uren met Ilie, ik heb hem al zo vaak gevraagd om die telefoontjes met Ilie te beperken en niet in mijn bijzijn te plegen. Ik vraag Crombé nogmaals en uitdrukkelijk om de gesprekken met Ilie te matigen. Hij reageert woedend en smakt zijn Nokia-gsm op de grond. Meteen erna stampt hij zijn gsm kapot. Na zijn woede-explosie komt de ontreddering. 'Oei, wat heb ik nu gedaan', mompelt hij. 'Heb je geld over misschien', merk ik sarcastisch op. De hele dag werkt hij zwijgend aan zijn bureau alsof er niets gebeurd is.

Zaterdag 17 maart 2007

Stéphanie vraagt mij hoe het de relatie tussen haar papa en mij verloopt. Ik zeg haar de waarheid: slecht. Stéphanie zondert zich al maanden af van haar vader. Ik probeer het thuis gezellig te maken voor haar, maar dat lukt mij niet. Stéphanie voelt de bui hangen.

Zondag 18 Maart 2007

Tijdens de terugrit van een preselectie voor Miss Belgian Beauty in Luik heb ik met Ignace in de wagen een zware woordenwisseling. De ruzie laait hoog op, onderwerp is en blijft Anne-Marie Ilie. Het is middernacht en Ignace wil haar voordurend sms'en en bellen. Ik verzet mij daartegen en zeg dat het moet ophouden. Ik vraag hem wat hij sms't, hij antwoordt niet. De discussie ontaart. Ignace stopt de wagen op de parking van het benzinestation in Groot-Bijgaarden, neemt de sleutel, loopt woedend weg en sluit zich op in het herentoilet. Hij geeft geen kick en blijft koppig op de wc-bril zitten. In paniek bel ik twee vrienden op, binnen het kwartier staan ze aan het toilet. Ze praten op Ignace in en wijzen hem op de absurditeit van zijn gedrag. Eindelijk, na twee uur, opent hij de deur. Op weg naar Kortrijk zwijg ik. Ignace denkt dat hij met alles weg komt. Hij is een keikop en kan niet verdragen dat ik me blijf moeien met de naweeën van zijn affaire met Anne-Marie Ilie. Maar ik heb het recht om te weten wat mijn man doet en wat hij van plan is met zijn gezin. Ik weet dat hij Anne-Marie stalkt, dat blijkt uit de sms'en die Anne-Marie Ilie mij stiekem doorstuurt. Eenmaal thuis ga ik in stil verdriet slapen.

Maandag 19 maart 2007

Voor Stéphanie begint een nieuwe schoolweek. Ze vertrekt naar het internaat in Gent en komt pas volgende vrijdagavond terug thuis. Ik ben blij dat ze ondanks het tumult een prettig weekend achter de rug heeft. Na de middag probeer ik een gesprek aan te gaan met Ignace over de gebeurtenissen van gisteren, maar hij sluit zich weer af. Ignace wil niet praten en zegt dat hij veel werk heeft. Hij liegt en weigert over zijn puberaal gedrag uit te weiden.

Donderdag 5 april 2007

De voorbije twee weken waren slopend. De onzekerheid knaagt enorm.
Al sinds die bewuste 8 februari 2007, de dag dat Crombé zijn seksuele relatie met Ilie toegaf gaat het emotioneel op en neer. Ik voel me net een jojo. Al sinds oktober 2006 zweef ik tussen liefdesverdriet en een mogelijke heropflakkering van onze liefde. Het is een vreselijke periode, ik voel mij leeg, energieloos en ben zeer ongelukkig. Al maanden is mijn leven routineus. Ik zie Ignace 's morgens opstaan en direct na zijn ontbijt vertrekken naar afspraken en meetings om 's avonds vermoeid thuis achter zijn bureau te zitten en pas diep in de nacht - nadat ik ben gaan slapen - zijn bed op te zoeken.

Vrijdag 6 april 2007

Ignace wil zijn contacten en activiteiten met Anne-Marie Ilie minderen. Zo weigert hij haar naar de opening van de Kortrijkse Paasfoor te vergezellen. Hij vraagt mij dat te doen. Crombé die zich laat vervangen op een acte de présence is veelzeggend. Hij wilde wat graag Ilie vergezellen op de actes de présences, hij verzon er zelfs. Nu weet ik dat zijn pogingen om haar terug te winnen op niets zijn uitgedraaid. Anne-Marie heeft er maanden geleden al een punt achter gezet. Dat feit is blijkbaar nu pas doorgedrongen bij Crombé.

Zaterdag 7 april 2007

Vanavond presenteert Anne-Marie Ilie samen met Ignace de verkiezing Leie-ambassadrice 2007 in *Salons Cortina* te Wevelgem. Dat lag al maanden vast, Ignace doet het met tegenzin, maar hij kan dit evenement onmogelijk weigeren. 's Morgens krijg ik een sms van Anne-Marie. Zij stuurt zoals afgesproken nog steeds alle sms'en van Ignace naar haar automatisch naar mij door. Deze keer luidt de boodschap:

Zorg dat je er goed uitziet en draag het juweel dat je van mij gekregen hebt

Ik schrik. Wat! Heeft die bimbo een juweel gekregen van Ignace? Ik bel Anne-Marie meteen op en eis dat juweel terug, het is immers voor de helft gekocht met mijn centen. Ze stemt toe om het terug te geven. Na haar presentatie op het podium gooit ze de halsketting met briljantjes voor mijn voeten op de grond. Was de sms van Ignace een nieuwe poging om Anne-Marie te stalken of om haar erop te wijzen wat hij allemaal voor haar doet? Na mijn interventie wimpelt Ignace het geschenk af als een pietluttigheid en zegt dat het gedane zaken zijn. Ik vraag me al weken af waarom ik met Crombé wil doorgaan. Wel, ik wil niet geloven dat mijn relatie eindigt. Ik wil dat helemaal niet. Ten eerste zijn we bijna 25 jaar getrouwd. Onze band en verstandhouding weggooien zou dom zijn. Ten tweede wens ik dat niet voor mijn dochter. Alleen al voor mijn kind zorg ik dat er thuis nooit spanningen en ruzies zijn. Ten derde hebben wij keihard gewerkt om onze zaak *Animô* op te bouwen. Dat gaan we toch niet op een helling zetten? De bvba staat op onze naam, dat verdelen zou jammer zijn. Ten vierde hoop ik dat deze puberale fase overgaat en ten vijfde: ik hou nog van hem. Ik heb dus vijf goede redenen om alles te doen om onze relatie te redden. Anderzijds heb ik de dwaze escapades van Ignace tegen en zijn blijkbare ongeoorloofde interesse in jonge vrouwen. Ik besluit de volgende weken de voor − en nadelen tegen elkaar af te wegen.

Zondag 8 april 2007

Ik eis een verklaring van Ignace. 'Zou je op Valentijn niet beter een kado aan je vrouw geven?', zwier ik hem naar zijn hoofd. Ignace vlucht traditioneel in zijn bureau. Hij kan niet om met persoonlijke vragen, commentaren of kritische bedenkingen. Ik verdenk hem dat hij een *hidden agenda* heeft om machtsspelletjes met kandidates te spelen. Hij bepaalt immers waar en wanneer een Miss Belgian Beauty een presentatie of een acte de présence verzorgt. Vaak zijn die activiteiten het begin van contacten met andere organisatoren. Dat weten die Missen, ze zijn totaal afhankelijk van de willekeur van Crombé. Als Ilie een opportunistische affaire begint met Crombé, zullen er nog wel volgen. Ik besluit om nauwgezetter zijn agendapunten, afspraken en activiteiten te controleren. Crombé vraagt erom. Nog één misstap en ik verlaat hem.

Maandag 9 april 2007

Ik breng de hele dag door op kantoor, Ignace heeft een paar afspraken en zet zich om 17u voor zijn computerscherm. Een uur later rijden we samen naar Groot-Bijgaarden. In het *Gosset Hotel* is er een grote meeting voorzien met al de finalisten van de Miss Belgian Beauty-organisatie. Ignace geeft er een exposé over het verloop van de campagne, het peter – en meterschap, de Kusttoernee en de finaleweek.

Ignace en ik blijven onvoorzien hangen in de bar. Hij is lief, pakt mij vast en zegt 'ik zie je weer graag'. Die 'weer' geeft duidelijk aan dat het lange tijd niet zo is geweest. Er zijn tientallen boeken geschreven over uitdovende liefdes en de midlifecrisis van mannen. De laatste maanden heb ik af en toe gegoogeld naar de begrippen 'bedrogen vrouw', 'vreemdgaan' en 'overspel'. Ik las de teksten en korte analyses op internet. Elke avond trok ik mij op aan de emotionele brieven van bedrogen vrouwen. Ik ben niet de enige bedrogen vrouw. Ik ben aangenaam verrast en gecharmeerd. Ik probeer mijn ontgoocheling van de afgelopen maanden te verbijten en ga in op de avances van mijn man. De vragen komen op mij af. Zou hij alles achter zich kunnen laten? Meent hij wat hij zegt? Heeft hij wroeging? Had ik gelijk om 23 jaar huwelijk niet op te geven voor één banaal avontuurtje? Ik geef Ignace het voordeel van de twijfel. Hij heeft mij genoeg pijn gedaan. Iets na middernacht rijden we naar huis in Bissegem. Ignace wil mij na zeer lange tijd terug beminnen. Ik stem toe en vergeef hem zijn misstap.

Woensdag 11 april 2007

Ik zie een andere Crombé en wil niet meer over de affaire met Ilie praten. Ook al hebben we het niet over de wonde die zijn affaire heeft geslagen, ik heb de indruk dat Ignace een nieuwe start wil nemen.

Vrijdag 20 april 2007

De voorbije twee weken waren als van oudsher. Vandaag word ik 45. We vertoeven de hele dag op kantoor. Ignace rept geen woord over mijn verjaardag. Op de middag heeft hij een meeting in de *Hotel Serwir* in Sint-Niklaas, hij vraagt me mee. Tijdens de meeting trakteert manager Paul mij met een fles champagne. Na de vergadering verrast Crombé mij met een intieme lunch. Later die avond hebben we zowaar een gesprekje. Hij zegt zowaar: 'Ik ben verliefd op je'. Zo'n etentjes moeten we vaker doen'. We blijven hangen en gaan 's avonds eten met zijn oogappel Stéphanie. Na middernacht rijden we naar huis in Bissegem en we vrijen.

Zaterdag 21 april 2007

Ik meen dat we de goede weg opgaan, Ignace verandert zienderogen. Hij is happy, uitgelaten en attent. Maar ik blijf kritisch. Misschien is het een list om de detective in mij te vernietigen. Hoe dan ook, die affaire zit me nog steeds hoog, maar ik wil ons gezin van weleer terug. Wij drie onder een hemel van geluk.

Maandag 23 april 2007

Ik zal Ignace nooit confronteren met al zijn sms-berichten die hij als een verliefde puber naar Anne-Marie Ilie stuurde. Dat blijft mijn geheim.

Donderdag 21 juni 2007

Ik voelde de voorbije weken geen nood om iets op papier te zetten. We kennen – hout vasthouden - een gelukkige en harmonieuze periode.

Eind mei vlogen we 4 dagen naar Taba in Egypte om er de reis van de kandidates voor te bereiden. De huidige Miss Anne-Marie Ilie bleef in België en deed al haar activiteiten zelf, Ignace stond nog nauw met haar in contact, maar mijn vrees voor een opflakkering van hun oude vervlogen liefde is voorgoed weggeëbt. De vakantie deed ons allen goed, op de laatste dag in Taba gaf Ignace zijn analyse aan een meegereisde vriend Tony. 'Je moet naar Egypte komen om weer verliefd te zijn op je vrouw', lachte Ignace. Zijn uitspraak maakte mij gelukkig. Ook Stéphanie straalt weer, ze heeft er plezier in om haar ouders te zien zoals het moet. Ik heb die ene affaire van Ignace kunnen plaatsen, de pijn en de ontgoocheling slijt. Ik heel, vergeef, maar vergeet niet.

Zaterdag 23 juni 2007

We eten gezellig met ons drie. Na de maaltijd heeft Ignace zoals in het verleden al meermaals is gebeurd een beladen telefoontje met Ilie. Hij roept en is kort van stof. De reden van het gespannen telefoongesprek ken ik niet. Het komt tot een woordenwisseling tussen ons. Hij reageert zich af op mij en ik kan het niet laten om zijn affaire met Ilie terug op te rakelen. Ignace is ziedend en slingert een nietjesmachine naar mijn hoofd, ik reageer door een aantal appelsienen naar hem te gooien. Ignace loopt de deur uit en stuift weg met zijn wagen. Ik weet van Ilie dat Ignace haar al een uur met sms'jes bestookt. Hij verwijt haar dat zij mijn kant kiest. Na een paar uur ga ik de bestelwagen lossen in ons magazijn, dat op enkele kilometers van onze woning ligt. Als ik de poort van ons magazijn openzwaai, zie ik tot mijn verbazing Ignace in een hoek op de vloer zitten: hij zit daar al uren in zijn eentje te pruilen.

Maandag 25 juni 2007 - maandag 2 juli 2007

Het gaat al dagen op en neer. De ene week zoekt Ignace wat toenadering en merk ik een lichtje in de duisternis, de andere week is Ignace weer gebiologeerd door Anne-Marie Ilie. De stemmingen wisselen sneller dan dat het water van de zee in eb en vloed overgaan. Ik ween me in slaap met de gedachte dat Ignace niet tegen zijn verlies kan. Hij werd gedumpt door Anne-Marie Ilie en met tegenwind, negatieve commentaren en standjes heeft hij het altijd moeilijk gehad. Dat zint hij op revanche. Weer relativeer ik de gebeurtenissen, weer zie ik het allemaal door de vingers, weer vecht ik voor mijn gezin. Ik hoop dat ik niet blind blijf voor de streken van Crombé. Ik trek mij op aan mijn drukke agenda.

Dinsdag 3 juli 2007

De meters en peters van de 20 finalisten worden voorgesteld in *Hotel Serwir* in Sint-Niklaas. Ook vandaag is er een ruzie tussen Ilie en Crombé. Volgens Ignace heeft Ilie te veel aandacht voor enkele jonge mannen die een website beheren. Klaarblijkelijk kan Ignace Anne-Marie Ilie niet loslaten. Het is zielig en tergend om zien: je eigen man die jaloers is op de gesprekjes van een andere vrouw.

Woensdag 4 juli 2007 - zaterdag 21 juli 2007

Ik ben de laatste tijd onzeker en twijfel aan mezelf. De gebeurtenissen van de laatste weken hebben mij weer volledig uit balans gebracht. Ignace wil alleen praten over het werk. Hij weigert weer in te gaan op gesprekjes over ons, onze liefde en toekomstplannen. Het is pijnlijk om wederom zo behandeld en afgewezen te worden. Ik kan Crombé niet langer doorgronden. De laatste weken is hij kort en zelfs bot naar mij toe. Hij heeft vergaderingen en afspraakjes waar ik niets van weet. In zijn gedrag herken ik een patroon, want alles wijst erop dat Crombé weer verliefd is. Hij is arrogant en heel zelfzeker. Eenmaal thuis werkt hij tot 's nachts in zijn bureau, hij drinkt er witte wijn en luistert er naar Vlaamse muziek. Dat deed hij ook toen Anne-Marie Ilie op de voorgrond trad. Het is een vervelende situatie, ik kan niet ingrijpen, ik moet moedeloos toekijken naar wat komen zal. Om de pijn te verzachten en mijn zinnen te verzetten werk ik me te pletter want vanaf vrijdag starten weer de drukke laatste maanden van de Miss Belgian Beauty-verkiezing.

Donderdag 26 juli 2007

Ondertussen zijn er drie Miss Belgian beauty-kandidates uit

de verkiezing gestapt. We gaan door met 17 finalisten.

Vrijdag 27 juli 2007

Vandaag starten we met onze jaarlijkse populaire Kusttoernee. In elke badplaats verzorgden we om 11u en 17u een
show met de finalisten van Miss Belgian Beauy. Om 11 uur
staan we op het Gerardplein van Sint-IdesBald, in Koksijde.
We hebben geluk, het is mooi weer en er is heel wat volk
komen opdagen, iedereen is in de nieuwe finalisten geïnteresseerd.
Vlak voor het podium genieten aanwezige sponsors, persjongens en genodigden van een hapje en een drankje op het
VIP-terras.
Tijdens de kusttoernee overnachten we allemaal in *Hotel
José* in Blankenberge. Ignace weigert hier te slapen en vertrekt 's avonds naar huis in Bissegem. De vorige jaren bleef
hij steeds bij mij, nu niet. Ik vrees dat het weer goed mis is
en geraak niet in slaap.

Maandag 30 juli 2007

We slaan onze tenten op aan de pier van Blankenberge.
Ik merk dat ene Patricia Govaerts aanwezig is, onaange-
kondigd zit zij op het VIP-terras. Ik ken haar achtergrond.
Patricia was Miss Mol 2004 en finaliste van de verkiezing
van de Leie-ambassadrice in 2006. Het was uitzonderlijk
dat een meisje uit de verre Kempen aan een lokale verkiezing meedeed. De verkiezing van Leie-ambassadrice in
2006 vond plaats in april in de feestzaal van *Hotel Cortina*
in Wevelgem. Ignace presenteerde het geheel en die avond
werd Ophélie Coture tot Leie-ambassadrice gekroond. Patricia werd zelfs geen eredame. Ik kende Patricia van zien,
meer niet. Toen ik de regie verzorgde tijdens de verkiezing
van de nieuwe Leie-ambassadrice was er geen tijd voor
nauwe contacten. Govaerts woont in Turnhout, ze heeft
een vriend en werkte drie jaar als arbeidster in diverse bedrijven. Nu is ze aan de slag als bediende in Turnhout.
'Waarom zit ze vandaag plots in Blankenberge!' flitst het
door mijn hoofd, al mijn aandacht is gevestigd op Anne-
Marie Illie en de verbale en non-verbale interactie tussen

haar en Ignace. Ik wil weten of die relatie definitief tot het verleden behoort zoals Ignace mij heeft beloofd. Daarom stel ik mij geen verdere vragen waarom Govaerts hier aanwezig is.

Toch wil ik niet met vragen blijven zitten. Ik wacht tot Ignace de presentatie van de show heeft afgewerkt. 'Wat doet die Patricia hier', vraag ik. 'Oh dat is niets', lacht Ignace. Ignace lacht weer. Zodra je hem op iets betrapt of met iets confronteert, hoont hij alles weg. Ik blijf aandringen. 'Zij is sterk geïnteresseerd om volgend jaar deel te nemen aan Miss Belgian Beauty. Het is haar laatste kans, ze wordt 25. Om zich voor te bereiden wil ze alles van nabij meemaken', legt hij uit. Ik aanvaard zijn uitleg. Trouwens, veel tijd om goed na te denken is er niet. Straks om 17u is er een nieuwe show in Bredene. Ignace en ik zitten samen op de bus, maar nooit naast elkaar. Ook nu stuurt hij tijdens de autorit massa's berichten. Ik vermoed dat Ignace ook een sms'je stuurt naar Patricia waarin hij haar uitnodigt voor de show in Bredene. Mijn vermoeden wordt bevestigd. In Bredene zet Ignace zijn aktetas zoals gewoonlijk in de trailer en neemt hij plaats op het VIP-terras. In die trailer coördiner ik de show en kleden de meisjes zich om. Tijdens de show hoor ik dat de gsm van Ignace meerdere sms'jes binnen krijgt. Ik open zijn aktetas en bekijk de berichtjes. Ik lees een berichtje van Patricia. 'Neen, ik kan niet', staat in een sms. Patricia zit met haar vriendje Dennis Vos in een pretpark. Ze kan er niet weg. Ik bel haar meteen op en zeg haar duidelijk dat ze Ignace, een getrouwde man en vader van en dochter, gerust moet laten.

Ik vraag Patricia meteen om uitleg. 'Dat berichtje heeft niets te betekenen', laat ze weten. 'Ik wil helemaal geen ruzie met jou. Er is niets aan de hand'. Waarom zegt een meisje meteen dat er niets aan de hand is? Dat is toch raar? Het scenario lijkt zich te herhalen. Ook Ilie zei in het begin dat er niets aan de hand was. Maar ik ben gerustgesteld. Als ik Ignace na de show met de sms'jes confronteert lacht hij alles weg. 'Maar Miriam toch, je weet mijn gsm zijn, je leest de berichtjes, ik heb niets te verbergen.', beweert hij. Ik hoop dat Patricia Govaerts geen nieuwe Anne-Marie Ilie wordt, ik word slecht bij de gedachte dat Crombé een eenvoudig meisje uit de Kempen inpakt met grootsprakerigheid over glamour en glitter. Ik weet dat veel meisjes willen proeven van een mediacarrière en daar heel ver in willen gaan. En ik geloof niet meer onvoorwaardelijk in de man Crombé.

Dinsdag 31 juli 2007

Vandaag is een rotdag. In het hotel is er om 19u30 terug een woordenwissseling tussen Ignace en Miss Belgian Beauty Ilie. In de verhitte discussie schreewt Ignace 'Het is niet omdat je de enige Miss bent met wie ik in bed heb gelegen, dat je niet moet doen wat ik vraag.' Een tiental kandidaten hebben het gehoord. Het is een verschrikkelijk moment. Ik probeer de pijnlijke waarheid al maanden te verdoezelen, stil te zwijgen en Ignace te vergoelijken. Nu gooit hij de waarheid op straat. Ook Stéphanie heeft de conversatie gehoord, ze rent het hotel uit. De finalisten Sylvie Wymeersch, Nadia Sebbar en Marjo Vertongen lopen Stéphanie achterna en proberen haar te troosten. Ikzelf vlucht naar buiten en rook snel enkele sigaretten. En weer hoop ik dat Ignace zijn verstand krijgt.

Woensdag 1 augustus 2007

Ik wens het niemand toe, maar ik besef dat ik met twee demonen moet leven: Anne-Marie Ilie en Patricia Govaerts. De naweeën van de relatie tussen Crombé met Ilie sluimeren nog door en nu komt een nieuwe kaper op de kust. Twee vrouwen die mijn huwelijk verwoesten. Waar heb ik dat aan verdiend?

Vrijdag 3 augustus 2007

Vandaag is het de laatste dag van onze kusttoernee. De voorbije week heb ik gelukkig niets meer gehoord over die Patricia. Ze is de voorbije dagen ook niet meer komen opdagen op de Kusttoernee. Maar blijkbaar is er toch iets vreemds aan de gang. Tijdens de Kusttoernee slapen wij elke nacht in *Hotel José* in Blankenberge. Samen met de meisjes verblijven wij hier negen nachten, maar Ignace slaapt geen enkele nacht bij mij. Dat vind ik vreemd. Elke avond zegt hij: 'Ik kan hier niet slapen. Ik ga naar huis'. Ignace beweert ook dat hij in het hotel mails kan ontvangen op zijn laptop, maar geen mails kan verzenden. Naar eigen zeggen rijdt hij elke avond naar huis in Bissegem om mails te versturen.

Zaterdag 4 augustus 2007

Ik blijf het schandelijk vinden dat Ignace tijdens de Kust-toernee geen enkele nacht bij mij is blijven slapen. De voor-bije dagen ging hij nooit op mijn avances in. We vrijen niet. Ik probeer mij op te trekken aan de reis naar Egypte, mis-schien heeft hij momenteel te veel werk aan zijn hoofd. En weer merk ik nu als ik dit neerschrijf, dat ik hem bescherm en blijf hopen op een opflakkering in onze relatie, een mo-ment van besef hoe goed we het kunnen hebben.

Vrijdag 10 augustus - zondag 19 augustus 2007

Samen met Stéphanie en Ignace reis ik af naar El Gouna in Egypte om er negen dagen te genieten van de zon en vooral van ons drietjes. Ignace is rustig en ontpopt zich tot een charmante gastheer. Na maanden koude oorlog vrijen we terug. Hoeveel ups en downs hebben we ondertussen al ge-kend? Ik hoop dat Ignace terug de oude Ignace wordt. Ik geef de hoop nog niet op.

Maandag 20 augustus - donderdag 6 september '07

Eenmaal thuis valt alles in het oude patroon: Crombé lijkt keizer Nero en doet zijn zin, zonder verantwoording of dia-loog. Ik blijf de vrouw die moet concurreren met twee twin-tigers. Er lijkt geen einde te komen aan de *trance de vie* van Crombé. Ik bijt door en pep mezelf op met één zin: ik geef hem nog één kans, de allerlaatste kans.

Vrijdag 7 september - vrijdag 14 september 2007

De organisatie van Miss Belgian Beauty reist voor een week af naar Egypte. In *The Three Corners El Wekala Golf Resort* in Taba. Op het vliegtuig wil Ignace naast Anne-Marie Ilie zitten. Het spelletje blijft duren. Deze week staat er heel wat op het programma. Dagelijks staan er zware repetities van de choreografie op de agenda, de meisjes moeten een kleurtje op doen en er zijn tal van activiteiten en uitstapjes voorzien. Het is een heel zware reis voor mij. Elke keer opnieuw zie ik hoe Ignace met zijn ex-lief optrekt. Hoewel hij me voortdurend zweert dat er niets meer aan de hand is, valt zijn gedrag mij zwaar.

Het komt weer goed tussen ons. Ignace pakt mij vast en we zoenen elkaar. De reis doet mij goed. Toch laat die Ilie mij niet los. Telkens wanneer zij in de buurt is of als ik haar en Ignace samen zie, sla ik in paniek.

Vrijdag 14 september 2007

Vandaag is het onze laatste dag in Egypte. Crombé en ik geven samen een interview aan Het Nieuwsblad, dat artikel zal op zaterdag 15 september verschijnen. Tijdens het gesprek met journalist Jan Claeys vertelt Ignace dat hij het moeilijk heeft omdat ik af en toe een interview geef en al eens mee op de foto sta. 'Miriam bleef altijd op de achtergrond', zegt Ignace. 'Ik wil de enige organisator zijn'. Verder in het gesprek zegt Ignace dat hij een vrij goede band had met de huidige Miss Belgian Beauty Anne-Marie Ilie. 'Daardoor hebben ik en Miriam een heel moeilijk jaar achter de rug. Ik zeg nooit dat Miriam een mooi kleedje aanheeft. Dat neemt ze me kwalijk. Tegen Anne-Marie Ilie zeg ik dat wél.'

Tijdens hetzelfde interview praat Ignace zijn mond voorbij. Hij vertelt dat hij met twee van zijn laatste missen een te nauwe band had. Op dat moment gaat Ignace te ver. Ik geef hem een schop onder tafel, maar hij negeert mij en gaat door op zijn elan. Waarom zegt hij dat allemaal? Wil hij de indruk geven dat hij een jonge *stud* blijft, dat hij een jonge dame het hof kan maken, dat kandidates hem als een god beschouwen en dat hij iedereen kan krijgen. Wat is er loos met hem?

Met dit interview maakt hij alle criticasters wakker, we hadden alles stil kunnen houden, maar nu out Ignace zich in de krant als een gefrustreerde Missmaker. Na het interview

61

vraagt de reporter of Ignace blij is dat hij naar huis kan. 'Ja, ik ben benieuwd om mijn post te openen', antwoordt Ignace. Over Stéphanie rept hij geen woord.

Om 20u keren we terug uit Egypte met de 17 finalistes van Miss Belgian Beauty. Volgende week is er de halve finale, 'De Gouden Twaalf'.

Zaterdag 15 september 2007

In Het Nieuwsblad staat het interview waarin Ignace ongezouten en ongenuanceerd toegeeft dat het 'te goed klikt' met zijn Miss Anne-Marie Ilie. Ik ben razend. Waarom heeft hij dat allemaal gezegd tegen die journalist en waarom heeft hij die passages niet laten schrappen? Ignace vindt het een prachtig artikel. Verder in het interview zegt Ignace: 'Eigenlijk zou ik de perfecte vrijgezel zijn. In mijn beroep is dat misschien ook beter.' En 'Ik zeg nooit dat Miriam een mooi kleedje aanheeft. Dat neemt ze me kwalijk. Tegen Anne-Marie Ilie zeg ik dat wel'. 's Avonds krijg ik veel reacties op het artikel. 'Wat is dit!?', reageert een vriendin, 'zien jullie elkaar maar 10 minuten aan tafel? Zit hij de hele dag alleen op zijn kantoor? Is dit je leven?' Ja, dat is mijn leven. En Crombé denkt dat ik een onnozel wicht ben, dat heeft mij al vaak naar mijn hoofd geslingerd.

Zondag 16 september 2007

Stéphanie is ontdaan over het artikel in Het Nieuwsblad. 'Het lijkt of papa verliefd is op Céline Du Caju en Anne-Marie Ilie', reageert ze. Denkt Crombé eigenlijk wel aan wat zijn vrouw en dochter momenteel doormaken? Wil hij zich interessant maken? Heeft hij aandacht nodig? Wil hij de populaire paljas uithangen en de indruk geven dat jonge meisjes in hem geïnteresseerd zijn of dat hij Brad Pitt is? In het slechtste geval zijn alleen bimbo's met slechte bedoelingen geïnteresseerd in zijn functie. Meer en meer sluimert het gevoel dat Crombé deze hele Miss Belgian Beauty-verkiezing heeft opgezet om een alibi te hebben om tussen de modellen en de mannequins te kunnen flaneren. Die gedachte vind ik afschuwelijk.

Maandag 17 september 2007

Stéphanie vertrekt naar het internaat in Gent. Vandaag is ze niet naar school geweest uit angst voor de negatieve reacties op het artikel in Het Nieuwsblad. Onze dochter ziet af van de negatieve media-aandacht. Ik poog Ignace daar attent op te maken, maar hij heeft geen aandacht voor het delicaat punt.

Dinsdag 18 september 2007

Zes weken na de Kusttoernee duikt Patricia weer op. In mijn boekhouding merk ik op dat zij een kaart heeft besteld voor 'De Gouden Twaalf' en ook al één voor de finale van Miss Belgian Beauty. De bedragen voor die kaarten zijn gestort. Ik zie dat ze zelf voor haar kaarten betaalt zonder tussenkomt van Ignace.

Samen met Ignace bekijk ik de tafelschikking. Ignace wil dat Patricia aan onze tafel zit. 'Geen sprake van', reageer ik. 'Dat zou direct opvallen, stel dat ze volgend jaar deelneemt aan Miss Belgian Beauty, dan zou iedereen denken dat wij haar voortrekken', probeer ik. 'Je hebt gelijk', antwoordt Ignace en hij voegt Patricia toe aan een tafel waar kennissen van ons zitten. Van liefkozingen en vrijen komt niet veel van in huis. Ik vermoed dat er toch iets bloeit tussen Ignace en Govaerts, maar ik kan het niet bewijzen. Al hoop ik dat Govaerts het verstand zal hebben om afstand te nemen na het lezen van het artikel in Het Nieuwsblad. Ignace geeft er ruiterlijk toe dat hij een potentiële zielepoot is.

Woensdag 19 september 2007

Vandaag trekken nog eens drie meisjes zich terug uit de competitie. Het zijn Jolien Barbier, Katrien Goris en Caroline Vandewijer. Als reden geven ze hiervoor aan dat Ignace aan favoritisme deed tijdens de reis in Egypte en dat de winnares nu al bekend is. Op 20 oktober wordt Nele de nieuwe Miss, beweert het drietal. Het is de eerste keer dat meisjes de handdoek gooien tijdens een wedstrijd, we organiseren nu al voor de 17de keer Miss Belgian Beauty. Ik ben er kapot van. Deze verkiezing lijkt vervloekt. Eén van de meisjes werd uit de wedstrijd gezet omdat ze een escorte was, twee finalisten stopten tijdens de Kusttoernee en nu dit. Jolien, Katrien en Caroline suggereren ook een affaire tussen Ignace en Nele. 'Het zijn slechte verliezers', reageert Ignace. 'Er is niets van aan'. Ik geloof hem. Hopelijk komt dit bericht nooit in de pers.

Met één van die drie meisjes, Caroline, had ik een zeer goede relatie. Als ik haar bel, biecht ze op dat ze van haar raadsman niet mag praten. Het wordt hard gespeeld, de drie meisjes hebben een advocaat onder de arm genomen en Crombé gedagvaard.

In september 2008 heb ik terug contact met Jolien, Katrien en Caroline, de drie meisjes die afhaakten. Tijdens een lunch zegt Caroline dat ze spijt heeft dat ze mij in Egypte niet opzocht om haar verhaal te doen. Anne-Marie Ilie maakte me op die reis zwart bij de meisjes. Ze zei hen: 'Miriam is een slechte. Miriam is nog veel slechter dan Ignace. Je moet daar niets aan vertellen'. Daarom heeft ze het niet aangedurfd om mij op te hoogte te brengen van haar bevindingen.

De drie meisjes beweren dat Ignace en Nele een relatie hadden. Ze hebben daar wel geen bewijzen van. Ze hebben Ignace en Nele nooit betrapt. Maar Caroline vertelt mij dat Ignace zijn hand op de bil van Nele legde… En dat soort dingen mag de organisator van een Miss-verkiezing natuurlijk niet doen. Nog volgens hen beantwoordde Nele die avances. Maar ik kan dat niet geloven. Nele heeft dat tegen mij altijd ontkend. Ze zei:'Er is nooit iets geweest, Myriam. Ben je zot? Met zo'n oude zak! Ik heb een relatie. Je moet dat echt niet geloven'.

Ook met Nele Somers was er de voorbije weken een relletje. Ignace bracht opvallend veel tijd bij haar door. Wanneer hij de andere deelneemsters sprak, handelde hij dat af in twee zinnen. Maar met Nele voerde hij ellenlange conversaties. Dat is de andere finalisten niet ontgaan.

Ikzelf heb dat nooit gemerkt op reis aangezien al mijn aandacht naar Anne-Marie Ilie ging. Ik had geen oog voor andere beslommeringen. Achteraf heb ik gehoord dat Ignace en Nele voortdurend oogcontact maakten en dat ze elkaar aanraakten. Maar van Nele kan ik dat moeilijk geloven.

Toch verzoek ik Ignace met een duidelijke uitleg over de affaire met Nele op de proppen te komen. 'Allemaal dikke zever', antwoordt hij. Jolien Barbier, Katrien Goris en Caroline Vandewijer, de drie meisjes die gisteren uit de wedstrijd stapten, hebben ondertussen een advocaat ingeschakeld. Er hangt ons een rechtzaak boven het hoofd.
In hun contract staat dat iedereen die voortijdig opstapt, een schadevergoeding moet betalen van 1500 euro. De meisjes weigeren dat te betalen. Ze hadden ook al toegangskaarten gekocht voor 'De Gouden Twaalf' en de Miss Belgian Beauty finale op 20 oktober. Ignace wil hen de kaarten niet terugbetalen.

Het drietal beweert nog steeds dat Ignace en Nele's avonds afspraakjes maakten' en 'dat Nele na de activiteiten naar haar kamer ging en volledig opnieuw opgekleed een afspraakje had met Ignace'. 'Sta je honderd procent recht in je schoenen?', informeer ik bij Ignace. 'Zo ja, moeten wij een advocaat nemen. Als er geen bewijzen zijn dat jij iets hebt met Nele, moeten we er een rechtzaak van maken'.

'Natuurlijk sta ik recht in mijn schoenen', zegt Ignace. 'Nele is nooit op mijn kamer geweest'. Op reis heb ik niet alles kunnen checken, om mijn gemoedstoestand te bedaren, bel ik nog eens naar Nele Somers, het meisje waarrond de verdachtmakingen draaien.
Nele drukt me nogmaals op het hart dat de beweringen van het drietal onzin zijn. Ze doet haar verhaal. Nele moest dagelijks een verslag van de reis doorsturen naar een website in Antwerpen. Op haar kamer had ze geen internetaansluiting en dus ging ze elke avond naar de *conference room* van het hotel. Ook Ignace zat daar elke avond te werken. Hij plaatste nieuwe foto's en verslagjes op onze website. Ze waren daar dus elke avond effectief samen in de *conference room*. Zelf was ik daar niet van op de hoogte. Elke avond praatte ik na met de meisjes en de aanwezige journalisten

in de bar van het hotel. Ik bleef er altijd tot iedereen in bed lag. Ik vind het mijn verantwoordelijkheid om te blijven tot iedereen naar bed is.

Ik vertel Stéphanie niet waarom er drie meisjes zijn gestopt. Ze moet al genoeg verwerken.

Zaterdag 22 september 2007

Straks start het evenement 'De Gouden Twaalf' in *Salons De Vossenberg* in Hooglede, de avond waarop de resterende veertien kandidaten van Miss Belgian Beauty naar twaalf worden herleid.

Tijdens de avond besteed ik geen aandacht aan Patricia. Ik heb andere katten te geselen. Na de show verdedigt Ignace zich op het podium tegenover de pers. Hij verklaart publiekelijk dat hij niet het lief is van Anne-Marie Illie en verder wenst hij niet over zijn privé-leven te praten.

Hij vraagt ook nog een applaus voor mij en Stéphanie omdat we zo'n moeilijke tijd hadden meegemaakt de voorbije maanden. Wij staan samen recht en zien dat de hele zaal voor ons applaudisseert. Dat doet goed, even weer vergeet ik alles, maar ik vind het *not done* dat Ignace openlijk over zijn privé-problemen praat. Het gevoel dat Ignace van alles achter mijn rug bekokstooft, blijft sluimeren.

Allicht doet hij dit statement uit vrees dat de pers met zijn verhouding met Ilie naar buiten komt.

Zaterdag 29 september 2007

De periode tussen 'De Gouden Twaalf' en de finale op 20 oktober is ongelooflijk hectisch. Bovendien blijft de dreiging dat de affaires van Ignace in de pers komen. Toch blijf ik Ignace in alle commotie onvoorwaardelijk steunen.

Over zijn affaire met Anne-Marie Ilie ben ik een beetje tot rust gekomen. Zij wordt op 20 oktober vervangen door een nieuwe Miss: nog 21 dagen en ik ben van haar af. Als ik Ignace en Anne-Marie samen zie, heb ik het nog steeds moeilijk. Ze is niet te vertrouwen. Door haar heb ik een rotjaar achter de rug. Door haar intriges en haar verhouding met Ignace zijn er heel veel spanningen geweest in ons huwelijk. Ook Stéphanie was het slachtoffer van de escapades van haar pa en Ilie. En ik ben verbaal stout geweest de laatste maanden. Meermaals gooide ik Crombé zinnen als 'Je kunt gaan samenwonen met je Roemeense bimbo!' naar zijn hoofd. Toegegeven, het zijn momenten van zwakte. Maar wat kan ik anders doen?

Vrijdag 5 oktober 2007

Vandaag ga ik een dagje shoppen met Stéphanie, we trekken erop uit en praten wat bij. We kopen ook een mooi kleed voor de Miss Belgian Beauty-finale van 20 oktober.

Woensdag 10 oktober 2007

Een week voor de Miss Belgian Beauty-verkiezing geeft Anne-Marie Ilie een interview aan P-magazine. Daarin maakt ze brandhout van Ignace, de liefde was blijkbaar niet zo groot. De lezers moesten de waarheid eens kennen... Het was te verwachten dat Ilie zichzelf op de valreep wil profileren als kunstzinnige Miss met een *personality*. Het interview glijdt van mij af, want ik ken de enige ware toedracht van haar banale persoonlijke aanval. Het moet haar niet lekker zitten dat ze met een man van een halve eeuw naar bed moest gaan om een kroontje te bemachtigen. Vorige week vernam ik dat ze ook met een medewerker van één van onze sponsors in bed is gedoken. Ilie is een verleidster eerste klasse en diep ongelukkig, vrees ik.

Donderdag 11 oktober 2007

Ik laat het allemaal niet aan mijn hart komen en zet mij in voor de belangrijke voorbereidingsweek op de finale start in *Hotel Keizershof* in Aalst. Ik ben opgewekt want Ilie is er niet bij. Zij neemt deel aan de opnames van het survivalprogramma 71° Noord en zit gelukkig in het verre noorden.
Om 20u worden de 12 finalisten ontvangen op het stadhuis voor een receptie en een diner in *Restaurant So*. Het wordt een gezellige avond.

Vrijdag 12 oktober 2007 - Vrijdag 19 oktober 2007

Het is actie van 's morgens tot 's avonds. De repetities voor de choreografieën en verbale tests, het passen van de vele outfits, de sponsorbezoeken, uitstapjes, interviews en actes de présences volgen elkaar in snel tempo op. Het is een afmattende week. Alles wordt gefocused op de finale. Voor piekeren maak ik niet veel ruimte.

Precies een jaar geleden startte ik met het schrijven van mijn dagboek. Ondanks al mijn pogingen sta ik nog geen meter verder. Crombé papt nog altijd aan met jonge meisjes en heeft nog altijd niet resoluut voor mij gekozen.

Zaterdag 20 oktober 2007

Vandaag is het de 17de editie van de nationale verkiezing Miss Belgian Beauty. Ik merk dat ene Patricia Govaerts mee aan de eretafel zit. Ook Anne-Marie Ilie zit aan onze tafel. Met Anne-Marie wissel ik geen woord en ook met Patricia heb ik het moeilijk. Wat doet zij in hemelsnaam in Knokke? Ignace zei me weken geleden dat Patricia wilde meedoen aan Miss Belgian Beauty 2009, maar ik vind het een slecht idee om een mogelijke kandidate vanavond al aan de eretafel te zetten. Zo geef je de indruk dat ze een favorietje is. Of is er meer hand? Is Ignace stiekem verliefd op die Patricia? Zijn de spelletjes nog niet afgelopen?

Tijdens de finale hou ik zowel Anne-Marie als Patricia nauwlettend in het oog en vergeet zowaar te genieten van de verzorgde show. Alle finalisten geven het beste van zichzelf en de juryleden ex-finaliste Miss Belgian Beauty 2002 Joyce De Troch, Martine Jonckheere en Miss Belgian Beauty 1998 Liesbeth Van Bavel geven vakkundig punten.

De gedoodverfde favoriete, de 23-jarige Nele Somers uit Brasschaat wordt Miss Belgian Beauty 2008. Lien Van de Kelder, de meter van Nele, gaat uit de bol. Nele nam enkele jaren geleden al eens deel aan de Miss België verkiezing en speelde vanavond iedereen weg. Tamara Opdebeeck en Tes-

68

sa Donckers worden de twee eredames. Nele wint ook nog de publieksprijs en de persprijs, ze gaat naar huis met een check van € 12.500,00, een achtdaags verblijf in een Egyptisch topresort en een heel pak prijzen ter waarde van meer dan € 10.000,00.

Anne-Marie Ilie is Miss Belgian Beauty af en daar ben ik niet rouwig om. In tegenstelling tot de vorige jaren geeft de afscheidnemende miss geen speech. Ik ben blij dat we van die Ilie af zijn. Stéphanie heeft op de verkiezingsavond tegen Anne-Marie gezegd: 'Salut en tot nooit meer'.

Na de verkiezing is er een grote receptie voorzien. Ik ontmoet oude bekenden en ga op in het feestgedruis. Ik heb gezellige praatjes met Peter Thyssen, Véronique De Kock, Niko Eeckhout, Kristof Snelders, Mike Verstraeten en Jacky Lafon. Iedereen is lovend over de choreografie en het spectakel. Ik ben gelukkig en vergeet mijn amoureuze ellende.

Na het feest in het casino drinken Ignace en ik traditioneel een glas met de nieuwe Miss Belgian Beauty in de nachtclub de *Chagall Club* vlakbij het casino. Nele is uitbundig, begrijpelijk, haar wacht een mooi jaar. In de club overlopen we de hoogtepunten van de avond en lachen heel wat af. Om 06u is het welletjes geweest, we besluiten ons hotel op te zoeken. Als we de *Chagall Club* verlaten staat Patricia aan de deur. Wat doet zij hier om 06u 's morgens? Ignace is mij weer voor, hij oppert dat Patricia een hotel heeft geboekt in Knokke en geen vervoer heeft. 'Er bestaan toch taxi's?', mompel ik. Ignace luistert niet en neemt Patricia en Nele mee in zijn wagen, hij zet Patricia af aan haar hotel en komt nadien met Nele naar ons hotel.

Ik vermoed dat er iets aan de hand is tussen Patricia en Ignace. Ik vraag me af of ik naïef en dom ben op die momenten! Moet ik ingrijpen, van mijn oren maken? Neen, want Ignace was niet alleen met Patricia in de wagen om haar naar haar hotel te rijden. Ik ben al blij dat we van Anne-Marie Ilie af zijn, hopelijk is Govaerts geen tweede Ilie. Als Ignace de hotelkamer binnenkomt, slaap ik. Er is geen plaats voor romantiek.

Zondag 21 oktober 2007

De nachtrust was kort. Crombé en ik komen niet meer terug op de gebeurtenissen van gisterennacht. Govaerts spookt wel door mijn hoofd, maar ik heb andere zorgen. Vanaf nu breekt de hel los. Er wacht een cameraploeg op Nele, er zijn fotografen en journalisten. Gelukkig is de kapster net op tijd om het haar van Nele onder handen te nemen. Ignace leest al de agendapunten voor die Nele vandaag nog moet afwerken. De actes de présences beginnen, Ignace zal Nele bij al haar opdrachten vergezellen en begeleiden.

Stéphanie wil al jaren Londen eens bezoeken. Ze is er nog nooit geweest en wil er shoppen, enkele musicals zien en met haar ouders samen zijn. Ik stel voor aan Crombé om met zijn drieën een citytrip te doen, maar hij wil niet. 'Geen tijd', zegt mijn man.

Dinsdag 30 oktober '07 - vrijdag 2 november '07

Een hoogdag in mijn leven, we gaan naar Londen. Ignace voert ons met zijn wagen naar de Eurostar. Ook voor mij is het mijn eerste bezoek aan de Engelse hoofdstad. We slapen drie nachten in *Hotel Radisson* en willen elke avond naar een musical. We kiezen *Mary Poppins*, *Grease* en *Dirty Dancing*. We genieten van ons lang ontbijt, shoppen in het befaamde *Harrods* en gaan op zoek naar de winkel *Abercrombie & Fitch* en een *Starbucks* koffieshop. Ook het *Madame Tussaud's Museum* moet eraan geloven. Het is een prachtig en deugddoend weekend.

Zaterdag 3 November 2007

Er naderen belangrijke dagen, we bereiden een nieuwe Miss Belgian Beauty voor en ook eindejaarsevenementen komen op ons af. Deze morgen volg ik de lijst op van actes de présences van Nele en bekommer mij over de boekhouding en het huishouden thuis. Crombé is thuis. Het voorval met Patricia 's nachts na de Miss Belgian Beauty-finale twee weken geleden, komt niet ter sprake. Ignace duikt in zijn werk, ik heb geen reden om op mijn ongemak te zijn.

Ik hoop dat Ignace na zijn dommigheden met Anne-Marie Ilie zijn verstand gebruikt en inziet welk impact zijn gedrag heeft op onze toekomst.

Met Stéphanie gaat alles goed, ze leert goed, is gemotiveerd en straalt veel levensvreugde uit. Ik snak naar de kerstvakantie en hoop dat we met ons gezin leuke dagen tegemoet gaan.

Zondag 4 november 2007

Op ons mailadres info@tbvba.be komt een mailtje binnen van Patricia Govaerts.

Beste Ignace,

Alles goed?

Ik wil U en uw vrouw bedanken voor de superavond in Knokke! Dit was een eenmalig fantastische gebeurtenis, heel hard bedankt.

Hoe verloopt alles nu met de nieuwe Miss? Beter dan de vorige?! Hopelijk zal het nu rustiger worden op jullie privé vlak aangezien dit de laatste maanden veel in het daglicht heeft gestaan...

Ik heb uw mail doorgestuurd naar mevr. Ann Binnemans. Zij is de directiesecretaresse van het beleggingskantoor "KREFOMA", waar ik regelmatig als hoofdhostess fungeer (zie cc)

Indien ik nog iets voor jullie kan betekenen, hoor ik het graag opnieuw!

Veel succes en tot ziens!

Lieve Groetjes,

Patricia G.

Het is bizar dat ik veertien dagen na het evenement een mail krijg met complimenten en bedankingen.

Maandag 5 november 2007

Ik maak me de laatste dagen terug zorgen over onze liefdesrelatie. Ignace raakte mij de voorbije maanden niet aan. Hij werkt heel laat in zijn bureau, komt na mij slapen en staat voor mij op. Als zijn vrouw ken ik dat gedragspatroon. Zijn nieuw speeltje moet Patricia zijn.

Woensdag 7 november 2007

Ignace is al vroeg de deur uit, hij heeft een vergadering op verplaatsing. Op kantoor maak ik een contract op, maar mis enkele gegevens. Ik bel Ignace en vraag hem waar het dossier ligt. 'Links in mijn kast in één van die mapjes', antwoordt hij. Ik open een mapje en bots op een uitgeprinte mail. Een mail van Ignace naar Patricia. Een puberale liefdesbrief waarin Ignace openlijk en zonder complexen zijn liefde betuigt aan een kind van 25. Hoe durft hij! Hij steekt weer maar eens een mes in mijn rug. Ik vind het verschrikkelijk, gruwelijk, afgrijselijk. De mail is gedateerd op 5 oktober om 21u45, het onderwerp luidt 'mijn avondkus'. Ignace schreef het twee weken voor de Miss Belgian Beauty-finale. Die dag, op 5 oktober, was ik de hele dag op stap met Stéphanie. Met haar kocht ik een nieuw kleedje voor de finale.

Ik herlees en herlees de lange mail, opnieuw en opnieuw. Ik versteen en ween.

Mijn allerliefste zoeteke,

Het is donker buiten. Uiteraard zit ik hier alleen op mijn bureel, want mijn twee vrouwen zullen nog wel een tijdje op zich laten wachten. Ongeschoren, met een slodder T-shirt uit mijn jeans en blootvoets...ik wist dat ik mijn keppe niet zou zien vandaag en voor geen ander doe ik geen kleurrijk hemd of T-shirt aan. Voor jou had ik me natuurlijk glad geschoren en mijn beste aftershave aangebracht. Maar neen, ik ben alleen, moederziel alleen. Maar toch niet helemaal. Neen, ik denk voortdurend aan het mooie meisje uit de Kempen dat mijn hart veroverd heeft. Ik zie ze beeldschoon voor mij staan, zitten of liggen. In elke houding, gekleed, halfnaakt of bloot. Ze heeft de voorbije maanden zo'n indruk op mij gemaakt, dat ze voor eeuwig op mijn netvlies geprent staat.

Ik heb mij een flesje champagne ontkurkt en op de achtergrond weerklinken mijn favoriete CD's, wanneer ik in deze stemming vertoef: Laura Lynn, Willy Sommers, Jo Vally... belachelijk? Maar neen, sommige teksten doen mij de tranen in de ogen krijgen. Soms wil ik rechtstaan, de lichten uitdoven en je uitnodigen voor een heerlijke slow. Soms wil ik het wereldrecord tongzoenen met jou verbreken. En heel vaak wil ik mijn glaasje heffen en met jou klinken, terwijl ik verdrink in je mooie ogen.

Maar neen. Ik ben alleen. Ik ben aan het werk. Saaie dossiers, moeilijke brieven, onduidelijke rekeningen en niemand om tegen te praten, niemand om te knuffelen, niemand om een kusje te geven... zelfs geen foto van mijn allerliefste in de buurt.

'Lieveling waar en wanneer, vraagt mijn hart keer op keer,... maar ik wacht reeds zolang, meer en meer komt de drang...', klinkt nu door de luidsprekers. Kan het nog toepasselijker.

Schatje, wat zie ik je graag. Je weet dat mijn werk tijdens mijn voorbije leven steeds op de eerste plaats kwam. Nu kom ik tot de vaststelling dat ik voor jou gemakkelijk tijd kan vrijmaken. Als ik bij jou ben, kan ik alles vergeten. Met jou kan ik echt genieten...en dan spreek ik nog maar van de weinige keren dat we samen waren, vaak zelfs heel kortstondig. Maar in deze weinige minuten geef jij je volledig voor mij en dat ervaar ik als een godsgeschenk. Je maakt me stukken jonger, af en toe eens speels... maar vooral zielsgelukkig. Ik denk dan ook dat we elk moment moeten meepikken wanneer het kan en hieraan absolute voorrang moeten geven. Ik besef heel goed dat we 'morgen' nog niet zullen samenwonen, maar zelfs 'zonder' moeten *we ons heel gelukkig voelen en ons optrekken aan al die mooie momenten.*

Alleen wil ik je wat beter leren kennen en ok je omgeving: je vrienden, je werkcollega's... Maar ja, niets forceren hé zoetje en vooral veel geduld hebben. Het zal je ondertussen reeds duidelijk zijn dat ik niet zo onbekend ben alsof ikzelf nog steeds denk. Ik zou zo graag van dee daken schreeuwen dat ik je fantastisch vind en je zoveel voor mij betekent. Ik zou zo graag naast jou over straat lopen en op restaurant zitten. Ik zou zo graag dagelijks met jou gaan slapen en met jou willen opstaan. Maar dit is nog niet voor meteen en hopelijk besef je dit en wil je dit geduld nog langer opbrengen poesje. Nu moeten we ons vooral goed voelen samen en dit proberen zoveel mogelijk te ervaren door mekaar maximaal te ontmoeten. En niets opsparen tot we samen wonen, want je weert nooit wat de dag van morgen brengt. Ik hoop dan ook schatteke dat we voor de finale van 20 oktober minstens één nacht zullen samen geslapen hebben in de koninklijke suite van het Keizershof Hotel. Dit moet een unieke nacht worden !!!

Hopelijk is je vergadering goed verlopen en zal je dit vanavond nog lezen. Ik heb mijn best gedaan om voor jou mijn absolute gevoelens op papier te zetten. En in deze sfeer van eenzaamheid waren deze gevoelens vanavond toch positief, omdat ik weet dat jij heel nabij bent. Je onverwacht telefoontje heb ik dan ook enorm geapprecieerd. Je bent mijn grote schat, je bent mijn diamant... hopelijk levenslang.

Mag ik je lichaam nog eens strelen en je tongzoenen, mijn ogen strelen en genieten... dank Patricia dat ik je mag kennen !

Ik zie uit naar je antwoord op SMS.

Je suikerklontje,
Ignace
xxx

Ik kijk door de grammaticale en taaltechnische fouten heen, lach met de puberale metaforen en kinderachtige romantische oprispingen. Met deze tekst zal Crombé geen prijzen winnen en ik vraag mij af of Jo Vally en Willy Sommers opgewonden geraken door de gedachte dat een dronken Crombé hun teksten nazingt in zijn bureel. Ik ben echt woedend en verward. Wie is die Ignace Crombé eigenlijk? Is hij ziek? Moet hij in behandeling? Was de affaire met Anne-Marie Ilie niet genoeg? Heeft hij nog meer geheimen? Ik reconstrueer alle gebeurtenissen van de afgelopen maanden. Patricia dook op op het VIP-terras in Blankenberge, Ignace sliep de hele Kusttoernee thuis met de drogreden dat hij alleen thuis mails kon versturen, waarschijnlijk sliep hij daar al met die Patricia. Patricia was aanwezigheid op 'De Gouden Twaalf', ze zat tijdens de finale op 20 oktober aan de eretafel in het Casino van Knokke, na die finale stond ze om 6u 's morgens aan de deur van *Club Chagall*. Er is een duidelijk patroon zichtbaar. Maar er zijn meer vragen die me bezighouden. Hoeveel keer heeft ze Ignace gebeld, hoe vaak hebben ze elkaar al gezien? Ik besef dat Ignace mij al die tijd heeft voorgelogen. Ja, hoelang is hij al aan het liegen. Was die Anne-Marie Ilie wel de eerste vrouw die hij in zijn bed praatte? En hoelang is die affaire met Patricia al aan de gang? Sinds de dag dat ze in Blankenberge verscheen?

Ik analyseer de mail. Daarin staat dat hij zich eenzaam en alleen voelt, 'zo alleen thuis'. Blijkbaar stuurt Ignace verliefde mails als hij alleen is. Verder schrijft hij in dezelfde mail dat hij naar muziek luistert als hij verliefd is. Mijn ogen gaan open, ik herken alle gedragspatronen, mijn vermoeden wordt bevestigd. Ignace zat de laatste jaren vaak 's nachts alleen in zijn bureau, daar dronk hij witte wijn, luisterde naar cd's van Jo Vally en Laura Lynn en af en toe weende hij. Op die momenten ging ik naar hem toe om hem te troosten. Ik dacht dat hij moeite had om de stress te kanaliseren. Maar zijn melancholische buien blijken nu onnozele verliefdheidsmomenten te zijn. Hoe dom was ik! Al die jaren dacht ik dat hij af en toe een weemoedig dipje had, maar toen hij schlagers opzette was hij verdorie verliefd op andere vrouwen. Ignace draaide die muziek niet alleen voor Patricia. Ook voor alle andere meisjes op wie hij verliefd was. Het erge is dat die stemmingen niets met mij of Stéphanie te maken hadden.

Plots wordt alles duidelijk. Ik bestudeer en reconstrueer de voorbije maanden, zijn afwezige momenten flitsen voor mijn ogen. Nadat ik bekomen ben van die mail, bel ik Ignace. 'Ik heb een mail gevonden van jou aan Patricia. Wat is dit nu weer?', vraag ik. 'Heb je nu je lesje nog niet geleerd? Waar ben je in godsnaam mee bezig?' Terwijl ik op een antwoord wacht denk ik 'Die man is ziek'. Ignace treuzelt en zegt: 'Dat was een bevlieging, een momentopname. Dat is al lang weer over'. 'Maar waarom mail je zo'n brief door?' informeer ik. 'Ach, ik heb dat uitgelegd aan Patricia, ze vindt het niet erg en kan ermee lachen. Geen paniek Miriam', repliceert Ignace. Moet ik opgelucht zijn. Lacht Ignace nu weer alle problemen en beschuldigingen weg of is hij voor één keer eerlijk? Ik weet niet waarom, maar ik geloof hem. Ben ik naïef? Ja, misschien wel, maar ik wil voor mijn gezin blijven vechten.

Donderdag 8 november 2007

De toon en de inhoud van de mail van Ignace naar Patricia laat mij niet onberoerd. Deze morgen is hij weer vroeg vertrokken naar afspraken en meetings. Ik duik in de facturen en controleer al zijn telefoongesprekken van de laatste maanden. Het blijkt dat hij de laatste maanden veel telefonisch contact had met Patricia. Hij belde haar dagelijks meerdere keren op. Waarom moet hij die Patricia bellen, ze ligt niet onder contract bij *Animô* en bij nader inzien heeft ze ook geen ambities als Miss Belgian Beauty-kandidate. Ignace verstuurde de vorige maand oktober 650 sms'jes, opmerkelijk meer dan tijdens andere maanden.

Ik moet de waarheid weten. In het archief van de Leie Ambassadrice 2006 vind ik het adres van Patricia. Om 19u rij ik naar Mol, naar het huis van Dennis Vos, de vriend/ex-vriend van Patricia Govaert. Ik heb de mail van Ignace in mijn handtas en wil die tonen aan Dennis of Patricia. Ik wil weten hoe het allemaal zit, weet Dennis dat Patricia een affaire heeft met mijn man? Wil Govaert mijn huwelijk stuk maken? Heeft ze een relatie met Ignace of is het gewoon een flirt? Ik bel aan, niemand reageert. Op de bel staan de namen

'Dennis Vos / Patricia Govaerts / ODC-productions'. Ik rij zonder antwoorden terug naar Bissegem.

Zaterdag 17 november 2007

Op een door ons georganiseerd Sinterklaasfeest ontmoet ik Pascal, de broer van Ignace. Ik toon hem de bewuste mail die ik twee weken geleden vond. Hij is onthutst en troost mij. Ik ben wanhopig en bel het nummer van Patricia, ik wil weten wat haar plannen zijn met Ignace. Govaerts neemt op en zegt dat ik verkeerd verbonden ben. Ik herken haar stem en haak in. 'Valse vrouw', zucht ik.

Dinsdag 20 november 2007

Vandaag viert Niké, één van de 12 overgebleven finaliste van de Miss Belgian Beauty-verkiezing van 4 weken geleden, haar verjaardag in een hippe Gentse sportclub. Om 19u ben ik present. Crombé en de huidige Miss 2008 Nele Somers arriveren rond 19u20. Ignace en Nele blijven niet lang want Nele moet straks het startschot geven op de opening van de 67ste editie van de Zesdaagse van Gent. In de loop van de avond probeer ik Patricia meermaals te bellen. Ik wil haar op het hart drukken dat ze mijn man met rust moet laten en mijn huwelijk moet respecteren. Ze antwoordt niet, ik stuit constant op haar voicemail. Uiteindelijk belt Govaerts mij op. Ik stap naar buiten onder een afdakje en probeer een gesprek op gang te brengen. Ze ontkent dat er iets is. 'Je moet je geen zorgen maken', begint ze. 'En die mails dan,', reageer ik. 'Och dat is het probleem van Ignace', beweert ze. We bellen een vol uur, ik beleef alles in trance. 'Ik wil niet dat je Ignace nog lastig valt en dat je ons allemaal met rust laat', besluit ik. Ik ben blij dat ik mijn mening heb kunnen zeggen en hoop dat Govaerts eerlijk is geweest. Na het telefoongesprek vertrek ik naar de Zesdaagse, Ignace bliksemt mij dood, Govaerts zal ondertussen wel gebeld hebben met Mister Miss. Ik blijf niet lang in 't Kuipke, ik heb te veel zorgen. De hele affaire blijft wazig, mistig en onduidelijk. Ik rij eenzaam naar huis en kan mijn tranen niet bedwingen. Thuis sleep ik mij naar de slaapkamer en probeer enkele uren te slapen.

Woensdag 21 november 2007

Ik heb de hele nacht wakker gelegen. Ignace wordt vandaag 51. Ondanks alles wens ik hem een gelukkige verjaardag. Zoals de traditie het wil is er ook dit jaar een etentje gepland in Gent. Ik haal Stéphanie op, we spreken om 12u af in *Café Theatre*. Ignace komt binnen met aan zijn zijde Nele Somers. Het etentje verloopt geforceerd, het is niet zoals vroeger. Nadien ga ik winkelen met Stéphanie en Nele.

Vrijdag 23 november - Zondag 23 december '07

De voorbije maand wordt gehypothekeerd door het bedrog van Ignace.
Crombé is zeer vrouwonvriendelijk. Zijn houding is arrogant, gevoelloos en zonder respect. Hij vertelt niet waar hij naartoe gaat, wat hij van plan is, doet niets met zijn gezin en geeft tegenstrijdige signalen. De sfeer thuis en op bureau is constant gespannen. Allemaal zeer onprettig voor mij, onmenselijk bijna, ik voel mij vier weken lang diep ongelukkig. Eten doe ik praktisch niet. En weer eens cijfer ik mij weg en accepteer ik zijn veelvuldig uithuizig zijn omdat ik onzeker ben over onze relatie. Hebben we nog een relatie? Ja, onze dochter fungeert als bindmiddel. Nee, want is er geen affectie, zelfs geen affiniteit. Zo kan onze relatie nooit meer gezond worden. Zolang Crombé niet praat, eerlijk en open is dit huwelijk ten dode opgeschreven. Elke avond ween ik mijzelf in slaap, slapen is een groot woord, ik ben al blij dat ik wat kan rusten en elke nacht een paar uur kan indommelen.

Maandag 24 december 2007

Ik pep mij op voor kerstavond. Tijdens het jaar zijn we zo druk in de weer dat we kerstavond telkens thuis vieren, gezellig onder ons drietjes.
Wat blijft er vanavond nog over van ons gezinsleven, vraag ik mij af.
Geheel tegen zijn gewoonte in gaat Ignace samen met Stéphanie boodschappen doen. Ze kopen samen cadeautjes en ko-

men uitgelaten thuis. Bizar, Ignace gaat nooit shoppen met zijn dochter. Ik vergeet alle nare herinneringen met Anne-Marie en Patricia en hoop vurig dat Ignace een nieuwe start neemt en maak de feesttafel klaar. Die vele *ups en downs* maken mij gek. Mijn hart bonst bijna uit mijn borstkast. Ik wil écht alles opgeven om mijn huwelijk te redden, ik wil gewoon dat alles weer zoals vroeger was. Maar het is vreselijk te weten dat ondanks al mijn intenties en inzet Crombé de sleutel in handen blijft hebben. Ik vraag mij soms af of ik niet eerder 'salut en de kost' had moeten zeggen, misschien had hij sneller zijn fouten ingezien. Momenteel zit Crombé in een ideale machtspositie.

Ondanks al mijn bedenkingen en onderhuidse pijn verloopt de avond goed, we tateren en lachen, zoals we vroeger deden. Om middernacht gaan we slapen, maar vrijen doen we niet.

Zondag 30 december 2007

Ik werk de hele dag op bureau. Vanaf volgende week starten we de organisatie voor de verkiezing van de nieuwe Miss Belgian Beauty definitief weer op. Crombé bezoekt zijn moeder en komt rond 18u thuis. Hij vertelt niets over zijn dag.

Maandag 31 december 2007

Traditioneel vieren we Nieuwjaar afwisselend bij ons thuis of bij één van drie bevriende koppels. Vanavond vieren we bij Yves en Hilde in Zwevegem. We rijden met geschenkjes naar het feest, het is leuk vanavond.

Om 04u komen we thuis. Ignace gaat meteen naar zijn bureau. Hij wil nog wat mails checken. Ik hoor hem telefoneren, ik vermoed naar Anne-Marie of Patricia. Hij maakt van zijn oren omdat Ilie op dit uur nog in een discotheek rondhangt. Ik doe alsof ik niets heb gehoord en ga slapen.
Ik blijf wakker liggen. Waarom belt hij 's nachts naar Ilie, is dat verhaal toch nog niet achter de rug?

Woensdag 2 januari 2008

Ik onderzoek opnieuw alle telefoongesprekken van Ignace. Bij Proximus vraag ik de gegevens op en ik controleer wederom al zijn uitgaande gsm-gesprekken. Ik merk dat hij met Patricia intens en frequent blijft bellen.

Donderdag 3 januari 2008

Twee maanden geleden ben ik naar het huis van Dennis Vos, de vriend van Patricia, gereden. Op de deurbel stond ODC-productions. Ik zoek ODC-productions op google, vind het telefoonnummer en bel Dennis op. 'Hoe staat het met de inschrijving van Patricia Govaerts voor Miss Belgian Beauty?', verzin ik. Vos zegt : 'Ik weet van niets, we zijn uit elkaar'. Het feit dat Patricia weg is van Dennis sterkt mijn vermoeden dat Patricia en Ignace een affaire hebben. Maar ik kan niets bewijzen, ik heb alleen een pijnlijk voorgevoel. Deze situatie is niet te harden.

Vrijdag 4 januari 2008

De hele dag staat in functie van de waarheid achterhalen. Al weken speel ik een soort detective, ik wil de leugens doorgronden en klaarheid in de zaak krijgen. Ik bel naar de moeder van Govaerts, ik wil weten waar ze woont. 'Sedert september 2007 woont ze terug thuis bij ons in Turnhout', meldt ze.

Maandag 7 januari 2008

Ik bijt mij vast in het telefoononderzoek. Patricia veranderde de laatste maanden drie keer van gsm-nummer. Op zijn zachtst gezegd is dit zeer merkwaardig. De puzzel valt in elkaar. Patricia is al lang niet meer met Dennis Vos, ze overnacht vaak in Kortrijk bij een vriendin, ze belt en sms't heel intens met Crombé, ze negeert mij en haar gedrag verraadt onrust. Het is duidelijk: Crombe heeft een affaire met Patricia Govaerts. Hoe is het mogelijk!

Om 11u is in *Hotel Keizershof* in Aalst de jaarlijkse persconferentie om de nieuwe Miss Belgian Beauty-verkiezing 2009
te lanceren. Het is een aangename afwisseling om alle perikelen rond Crombé en mij even te vergeten. Maar de vlucht
in de mensenzee en in een paar glaasjes witte wijn verzacht
de pijn maar voor even. Eenmaal thuis valt mijn masker af,
ik krijg maagpijn en hoofdpijn. Ik zit diep, heel diep. Uit dit
leven stappen wil ik niet, maar ik zie het heel zwart.

Crombé komt thuis slapen, maar ik kan het niet opbrengen
om enig enthousiasme aan de dag te leggen. Ik wil niet met
hem praten, ik heb de moed niet meer om energie in die
man te stoppen.

Dinsdag 8 januari 2008

Ignace verlaat om 9u het huis. Vandaag geeft hij samen met
Nele Somers les aan het *Syntra Brussel*, een school in Uk-
kel. Hij doceert er over organiseren en missverkiezingen. 's
Avonds surf ik naar enkele nieuwssites, ik bekijk ook de
showbizzsite. Daar zie ik de rubriek 'Morgen in de Story'. Ik
klik aan en zie Ignace en Céline Du Caju op de cover staan.
Ik zie de oneliner 'ongewenste intimiteiten' en vraag me af
wat dat allemaal te betekenen heeft. Ik hap naar adem. Had
hij ook een relatie met Céline Du Caju? Welke verhalen komen er nog op mij af?

Verschijnt er morgen een Story met een verhaal over Ignace?
Dat kan niet waar zijn. Is Ignace op de hoogte? Heeft hij een
interview gegeven? Wat stelt dit allemaal voor? Hoe moet
het nu met Stéphanie? Wat moeten de mensen denken?
Twintig vragen komen op mij af. Op geen enkele vraag kan
ik een deftig antwoord verzinnen.

Ik bel meteen naar Ignace, ik kan hem niet bereiken, zijn
telefoon staat uit, omdat hij les geeft. Ik toets wel dertig keer
zijn nummer in en spreek uiteindelijk een berichtje in. 'Ignace bel mij alsjeblieft direct op'. Ik weet niet wat te doen.
Moet ik de hoofdredacteur van Story bellen? Dat is te laat,
de Story is al lang gedrukt, aan de inhoud kan ik niets meer
veranderen, laat staan dat ik de cover kan laten weghalen.

Tijdens zijn lespauze belt Ignace eindelijk terug. Ik vraag hem wat dàt nu weer te betekenen heeft. 'Het is juist. Ik ben verliefd geweest op Céline gedurende haar regeringsjaar', zegt hij. Dat was de periode oktober 2004 tot oktober 2005, de periode voordat hij iets had met Anne-Marie Ilie. Ook dat feit vervoegt de soap.

Ik wacht trillend tot Ignace thuis is. Om middernacht arriveert hij. Hij bevestigt het verhaal en geeft een korte toelichting. 'Ja, ik heb verliefde e-mails naar Céline gestuurd. Ja, ik was verliefd op haar, dat kan een mens toch overkomen? Ik heb nooit iets met haar gehad, dat is toch het belangrijkste?', reageert hij gelaten. Hoe haalt hij het in zijn hoofd om op Missen van zijn eigen organisatie verliefd te worden, er is toch een deontologie, een voorbeeldfunctie waarmee hij rekening moet houden. 'Ah, overdrijf toch niet' roept hij en hij verdwijnt weer in het bureau.

Het is niet de eerste keer dat Ignace verliefde e-mails heeft rondgestuurd. Het overkwam Els Tibau, Anne-Marie Ilie en nu ook Céline Du Caju. Wat zal er de komende weken nog allemaal uitkomen? Woon ik samen met een vrouwzieke man? Heeft hij ze allemaal nog op een rijtje? Beseft hij eigenlijk wel welke negatieve impact zijn gedrag op de Miss Belgian Beauty-organisatie zal hebben?

Story heeft het volgende persbericht rondgestuurd:
"Aan de hand van e-mails die door de heer Crombé verstuurd zijn naar Miss Belgian Beauty 2006, Céline De Caju, wordt in deel één duidelijk hoe hij verliefd was op haar, en hoe hij, toen die liefde niet beantwoord werd, haar onder druk zette om een bijkomend contract te tekenen. In deel 2 en 3 focust Story zich op de MBB-verkiezing van Anne-Marie Ilie en van de meest recente Miss, Nele Somers waarbij haat en favoritisme een grote rol spelen. De geruchten over wangedrag, verliefdheden en favoritisme doen al langer de ronde maar tot op heden hielden alle Miss-kandidaten de lippen stijf op elkaar. Uit angst voor represailles, omdat ze contractueel gebonden waren door zwijgplicht, en ook – zo vertelt een miss – omdat ik blij ben eindelijk van die man verlost te zijn en geen goesting heb dat verleden op te ra-

kelen... Waarom we dit verhaal brengen? Omdat het ontoelaatbaar zou zijn dit niet te doen. Omdat wij ouders vragen zichzelf na het lezen van deze getuigenissen één vraag te stellen: vindt u het verantwoord uw dochter voor enkele maanden toe te vertrouwen aan de organisatie van Miss Belgian Beauty?"

De gedachte wat er morgen allemaal in Story zal staan, houdt mij de hele nacht wakker. Ik doe geen oog dicht. Ik wil het liefst heel ver wegvliegen en nooit meer terugkomen.

De drie meisjes die in 2007 afgehaakt hebben, hebben mij in november 2008 verteld dat ze die mails van Ignace aan Céline vorig jaar in oktober 2007 al hadden gezien. Op reis in Egypte circuleerden die toen al rond.

Woensdag 9 januari 2008

Ik wil mijn bed niet uit. Waar ik altijd voor gevreesd heb, is aan het gebeuren. Na de artikels in Story zal de gehele pers Ignace en onrechtstreeks mij lynchen. Waar haal ik de kracht vandaag om door te gaan. Ik begrijp niet hoe ik het allemaal volhou. Het weekblad Story pakt uit met een heel kwetsende cover. 'Bedrog, haat, ongewenste intimiteiten, 3 Missen onthullen de waarheid'. Céline Du Caju, Anne-Marie Illie en Nele Somers nemen in een reeks artikels geen blad voor de mond. Nu weet heel Vlaanderen welk individu Ignace is.

'Jezus', roep ik. Mijn hart stopt met kloppen, ik krijg geen lucht meer, mijn wereld stort in. Jarenlang heb ik getracht een gezin samen te houden, de sfeer van verdachtmakingen te minimaliseren en weg te lachen, de roddels en weetjes te banaliseren, mijn relatie en mijn huwelijk te redden. Het heeft mij niets opgebracht.

Céline Du Caju werd in oktober 2004 tot Miss Belgian Beauty 2005 gekroond. Enkele maanden later bestookt Ignace haar met puberale verliefde e-mails. In één van die mails oppert Ignace dat hij verliefd is op haar, maandenlang stuurt hij Céline flirtmails, ik heb het nooit geweten.

Ik besluit thuis te blijven om de reacties, oordelen en ver-
oordelingen van de mensen te ontlopen. Ik krijg massa's
sms'jes, maar reageer er niet op.

Ignace heeft om 8u een afspraak in hotel de *Marquette* in
Marke. Onderweg koopt hij de Story. Eenmaal in de *Marquette* begint hij te wenen als een kind en speelt de on-
schuld zelf. Ook daar laat hij de aanwezigen geloven dat er
niets gebeurd is en dat hij geen misstappen heeft begaan.
Hij gaat zodanig door dat de mensen van de *Marquette* hem
aanraden om een advocaat onder de arm te nemen. Zo komt
hij bij advocaat Jan Leysen terecht. Een paar uur later zitten we samen en overleggen we wat we kunnen doen. Op
aanraden van advocaat Leysen geven we om 17u een persconferentie. Ik heb daar een heel slecht gevoel bij, Crombé
gebruikt mij als schaamlapje, ik geef weer eens toe en zet
mijn verstand op nul.

Ikzelf zal straks in het bureau van de advocaat plaatsnemen
om Ignace publiekelijk te steunen. Nog maar eens steun ik
hem, nog maar eens hoop ik dat we na dit verschrikkelijk
moment een nieuwe start kunnen nemen, nog maar eens
hoop ik dat Ignace aan Stéphanie denkt, nog maar eens geef
ik hem een nieuw kans, nog maar eens wil ik de spons over
alle verderf wrijven. Op de geïmproviseerde persconferentie vraagt Ignace mij om naast hem te zitten. 'Het zou best
zijn dat je naast mij zit, dan ziet de pers dat er niets aan de
hand is en dat we nog altijd samen zijn', fluistert hij.

Ik probeer op mijn tanden te bijten, mijn tranen te verdoezelen, te zwijgen en te relativeren. Dom van mij, want ik weet
dat hij op dit eigenste moment met Patricia in zijn hoofd zit.
Waarom heb ik het lef niet om tegen Ignace te zeggen: 'Foert,
trek je plan, je hebt geoogst wat je hebt gezaaid'. Waarom
blijf ik die man nog koesteren? Omdat ik mijn familie samen
wil houden.

Om 17u zitten journalisten van alle dag – en weekbladen en
enkele televisieploegen in het zaaltje. Ik neem naast Ignace
plaats maar beleef alles in trance. We zwijgen, onze raadsman formuleert alles.

Op vragen wordt niet geantwoord. Eenmaal thuis plof ik neer in de zetel. Ik ben depressief en heb geen honger.

Die depressiviteit zou drie weken duren, ik eet amper en slaap bijna niet. Al die tijd blijf ik in de zetel liggen, ik kan niet meer werken. Alle energie is uit mijn lichaam.

Ik probeer Ignace de feiten voor te houden. 'We hebben al die miserie door uw stom gedrag', zeg ik. Hij reageert zoals steeds: gelaten, alsof het allemaal niets inhoudt en lachend loopt hij weg.

Volgende week verschijnt een nieuw hoofdartikel in de Story en over twee weken krijgt Ignace een nieuwe cover kado. Hoe zal ik die twee weken overleven? Welke dingen komen er nog aan het licht? Moeten we elke week een persconferentie geven? Hoe lang zal die komedie nog duren? Ignace zegt in het bureau dat we vanaf nu een nieuwe start nemen. 'Laat ons alles vergeten, het is allemaal oud nieuws', begint hij. 'Laat ons starten met een schone lei'. In mijn naïviteit knik ik, nauwelijks kan ik mijn tranen bedwingen.

's Avonds lees ik mijn e-mails. De reacties zijn verschrikkelijk. Niemand kan het geloven. Ignace, de man die altijd binnen de lijntjes loopt en een pietje precies is, krijgt een nekschot. Enkele vrienden proberen ons op te peppen en zeggen dat het roddels zijn en dat we alleen maar sterker uit die hele affaire gaan komen.

Van de buren heb ik niets gehoord vandaag. Mensen durven op zulke momenten niet buiten komen, ze durven niet aan te bellen of te informeren hoe het met ons gaat. Ook voor Stéphanie is het verschrikkelijk.

Ik zit diep, heel diep. Acht jaar lang, sinds eind 1999, heb ik geen contact meer gehad met mijn ouders. Na een hoogoplopende ruzie op een familiefeest verbood Ignace mij om met mijn moeder en vader om te gaan. Slaafs heb ik zijn verbod opgevolgd. De voorbije jaren had ik al een paar keer gevraagd om mijn ouders te mogen bezoeken, maar ik kreeg steeds een tirannieke 'njet' te horen.

De breuk met mijn ouders kwam tijdens het jaar van Sté-
phanies eerste communie, in 1999. Dat jaar gingen we op
reis met de missen. Stéphanie bracht toen veel tijd door
bij de onthaalmoeder en ook bij mijn mama. Mijn ouders
waren harde werkers en hadden niet veel tijd voor hun
drie dochters. Dat konden ze nu goedmaken door veel bij
hun kleinkinderen te zijn.

Net voor de reis besloot ik om Stéphanie naar de onthaal-
moeder te brengen. De onthaalmoeder woonde dicht bij
haar school, dat was dus makkelijk. Mijn ouders waren
daar niet mee opgezet, maar hebben zich daar bij neerge-
legd. Enkele weken later, op kerstavond barstte de bom.

Aan de traditionele kersttafel heeft Ignace mijn ouders aller-
hande verwijten naar het hoofd geslingerd. Hij heeft toen echt
lelijke dingen gezegd over de manier waarop ze leefden.

Ik weet niet waar die verwijten plots vandaan kwamen, ik
weet niet wat de spreekwoordelijke druppel was. Ignace
had te veel gedronken en begon hen te bekritiseren. Hij
ergerde zich aan de manier waarop mijn ouders na hun
pensioen van het leven genoten.

Ze hadden heel hun leven hard gewerkt en als ze zin had-
den om een fles champagne te kraken, dan deden ze dat.
Ze hadden zich al die jaren genoeg ontzegd. Hadden ze
op een dinsdagavond trek in een kreeft belle vue, dan be-
reidde mama dat thuis. Ignace vond dat niet kunnen. Hij
kon dat niet verdragen.
Hij riep toen: "Je ouders smijten kreeften in de vuilbak".
Hij schold mijn papa zelfs uit voor het vuil van de straat.
Mijn vader nam dat niet en toen zijn zij tegen elkaar begin-
nen roepen. De avond is toen volledig geëscaleerd. Ignace
liep naar buiten en ik ben samen met Stéphanie achter
hem aan geheld om hem te kalmeren.

We reden meteen naar huis. Op weg naar huis heb ik be-
wust niets gezegd. Als Ignace veel had gedronken was het
beter om te zwijgen. Ik vond dat verschrikkelijk. Eenmaal
thuis zijn we meteen gaan slapen, ik hoopte dat we de vol-

gende dag alles in alle rust en sereniteit zouden uitpraten. Maar dat lukte niet. Ignace wilde niet eens over de ruzie praten.

Hij eiste dat we mijn ouders nooit meer gingen bezoeken. Stilzwijgend heb ik ingestemd. Om mijn huwelijk te redden heb ik de kant van Ignace gekozen. Ignace is er nooit op teruggekomen. Ook Stéphanie heeft er nooit meer over gepraat, al heeft ze nog wel een aantal keer gevraagd naar haar grootouders.

Ik ben nog één keer teruggekeerd. In januari 2000 zijn wij nog stiekem gaan shoppen in Brugge. Die dag kocht ik samen met mijn moeder kleren voor de eerste communie van Stéphanie. Maar daarna heb ik mijn ouders niet meer gezien. Zelfs op de communie waren mijn ouders afwezig. Acht jaar lang was er geen enkel contact. Geen telefoontjes, geen briefwisseling, geen bezoekje.

Tussen Ignace en mij was er een stilzwijgende overeenkomst: geen contact met mijn ouders.

Zelf hebben moeder en vader ook al die tijd geen toenadering gezocht. Mijn ouders zijn van het principe dat een kind zelf de eerste stap moet zetten en niet omgekeerd. Zij hebben altijd gewacht op mijn eerste stap. Met kerstdag en nieuwsjaar en met de verjaardagen wilde ik steeds bellen of schrijven, maar ik durfde niet. Ik had teveel schrik van Ignace en wou mijn gezin niet verliezen. Ook voor Stéphanie was het afschuwelijk. Ze zag haar grootouders tijdens die acht jaar niet één keer, overal moest ze zwijgen over haar grootouders en ook op school hulde ze zich in stilzwijgen. De kerstkaarten die ze op school schreef voor oma en opa bleven onverstuurd.

Ik leed daar elke dag onder, god wat heb ik daar veel spijt van. Ik ging elke avond met die afgrijzelijke terreur slapen en ik stond er iedere morgen mee op. Nooit heb ik de moed gehad om Ignace tegen te spreken, nooit had ik het lef om terug te gaan, nooit heb ik een brief geschreven, nooit ben ik langs hun huis gereden met mijn auto.

Ignace wist dat mij dat zwaar viel, maar hij praatte er nooit over. Het was taboe en hij toonde nooit wat medeleven. Empathie was hem sowieso vreemd. Ik dook in mijn werk en zag de jaren door onze drukke bezigheden voorbij vliegen. Maar wie kan acht jaar leven zonder contact met het thuisfront, zonder contact met ouders en zussen? Mijn antwoord is niemand. Ik heb acht jaar van mijn leven verloren.

Donderdag 10 januari 2008

Vorige nacht heb ik amper een paar uur kunnen slapen. Alle kranten schrijven over de persconferentie, ook het vtm-nieuws besteedt er aandacht aan. Ik lees niets en kijk ook geen tv. Ik ben op en zoek naar energie en steun. Ik wil het contact terug met mijn ouders. Ik heb hen nodig. Ik durf het Ignace eindelijk ook te zeggen. 'Ik wil hen terug zien! Je hebt hen al acht jaar van mij afgepakt!', verwijt ik hem. Hij reageert niet en tokkelt verder op zijn computer.

Ik bel mijn oudste zus Francisca op en doe haar mijn verhaal. We huilen allebei. Ik vraag haar hoe onze ouders zouden reageren als ik terug naar huis zou gaan. Was ik nog welkom? Zouden ze me binnenlaten? Francisca nodigt mij bij haar thuis op. Ik spring in mijn wagen en rij naar Meulebeke. Francisca vangt me op en stelt voor om naar moeder te bellen om te polsen. Ik durf niet. Ik wandel door de huiskamer en verzamel moed. 'Hallo mama, het is Miriam', moeder reageert koel. Maar gelukkig gooit ze de telefoon niet op de haak.
We spreken af dat ik volgende week woensdag om 10u op bezoek ga.
Ik vertel Ignace niets over mijn plannen.

Donderdag 10 januari 2008

Ik begrijp niet dat een delletje als Patricia het pikt dat haar huidige vriend Crombé een scharrelaar eerste klasse blijkt te zijn. Hoe kan zij leven met een man die idiote mails stuurde naar kandidaten en Missen in de hoop ze aan de haak te slaan. Wie weet de hoeveelste die Patricia in de rij is? Had

88

ze verstand en klasse, dan zou ze nooit een getrouwde man aan de haak slaan.

Vrijdag 11 januari 2008

We hebben Stéphanie eergisteren bewust niet op de hoogte gebracht van het verhaal in Story. Ze verbleef deze week op internaat en Ignace en ik vonden dat we alles beter persoonlijk zouden zeggen. Maar Stéphanie heeft het nieuws al vernomen en laat weten dat ze woedend is en niet naar huis wil komen. Maar ze komt toch. Ignace durft haar niet onder ogen te komen, hij vlucht naar zijn bureau. Ik moet weer alles alles oplossen. Ik poog alles te kaderen voor Stéphanie, ze begrijpt de situatie maar wil niet meegesleept worden in het verhaal.

Vanavond krijg ik eindelijk de bewuste e-mail van Ignace naar Céline in handen. Er werden stukken uitgelicht in Story, maar nu kan ik de mail integraal lezen. De inhoud is schrikbarend.

Lieve Céline,
Tot mijn grote spijt moet ik je melden dat ik vanavond niet zal meegaan naar de modeshow in Sint-Laureins, omdat ik het momenteel niet zou aankunnen deze in normale omstandigheden bij te wonen. Wanneer ik je straks zou terugzien, dan weet ik nu reeds dat ik in de wagen zal wenen en wellicht is het niet aangeraden om in dergelijke omstandigheden publiek te verschijnen. Toch mis ik ontzettend veel door vanavond niet te komen : fantastische en voor mij belangrijke mensen die de modeshow organiseren, een unieke feestzaal die ik zeker wilde gezien hebben, het orkest van Frank Debock die ik aan het werk wilde zien, de mooie publiciteit die we samen zouden krijgen en vooral een gezellige avond in jouw gezelschap. Maar ik voel mij nog steeds zo moedeloos Céline, dat ik het niet aandurf. En toch weet ik dat het thuis voor mij een rotavond wordt omwille van al dit gemis. Ik hoop dat je heel even aan mij denkt, wat een kleine troost kan betekenen. De mail die je me stuurde waarin je kurkdroog meldde dat je zaterdagavond niet naar Luik kwam, heeft me echt

'gekwetst'. Je weet dat je dit reeds weken toegezegd had en zondag nogmaals bevestigde. Eindelijk zouden we eens, los van het werk, een avond kunnen bijpraten. Ik had jouw slaapkamer in Hotel Bedford geboekt en had gereserveerd in een restaurantje in het centrum van Luik. Ik had je echt eens willen coachen bij het meermaals lezen van je Franse speech (die ik ondertussen ook correct had laten vertalen), zodat je deze zondag perfect had kunnen voorlezen. Ik wilde graag met jou eens door de brieven en foto's van de kandidaten bladeren en van gedachten wisselen ... kortom, deze avond kon niet meer stuk. En dan moet ik plots alles opnieuw annuleren en weet ik dat het weer een trieste avond wordt op mijn hotelkamer, aangezien ik daar niemand ken. En deze situatie kon zeker vermeden worden, want je had dit zo gepland en toegezegd... en je ouders zouden zeker ook begrepen hebben dat je niet mee kon voor het etentje.

En hier begint het allemaal: wat denkt Céline over mij, waarom doe ik al deze inspanningen voor mijn Miss als ik hier dan toch in de steek gelaten wordt, waarom was er deze week ook zo weinig communicatie en mocht ik niet weten waarmee je allemaal bezig was aangezien de administratie en de aanpassing van je website niet afgewerkt werd zoals je nochtans beloofd had. Had ik zondagavond niet beter gezwegen, want nu is het duidelijk dat je van mij een verkeerd beeld heb. Misschien was ik veel te eerlijk en openhartig (maar zo ben ik nu eenmaal).

Ik voel mij momenteel zo 'waardeloos', dat ik echt niet weet als ik de moed verder kan opbrengen om de organisatie Miss Belgian Beauty voort te zetten. Kan het fantastische samenwerkingsgevoel die er altijd geweest is tussen ons, nog wel opnieuw komen ? Mocht ik je nu toch heel even mogen vastnemen Céline ...nu heb ik dit meer dan nodig. De warmte die je uitstraalt mag na deze week niet plots onder nul dalen. Ik heb zo'n schrik om jou terug te zien (je gelooft het misschien niet Céline, maar momenteel zit ik volop te wenen wanneer ik dit aan het tikken ben en dit zal niet anders zijn als ik je terugzie... ik ben wellicht veel gevoeliger dan je denkt).

Mag ik toch duidelijk stellen dat ik niet de playboy ben die de zoveelste Miss wil versieren en daar ook alle middelen toe aanwendt om dit zo vlug mogelijk gedaan te krijgen. De bedoeling om je naar Luik te laten komen, was dan ook geenszins om je tot iets te dwingen... alleen als volwassenen eens debatteren over gevoelens, zou reeds een grote voldoening gegeven hebben.

Dat je op mij een ongelooflijke indruk nalaat, weet je reeds lang Céline en dat ik zondag duidelijk maakte dat ik hiervan meer dan de kriebels in de buik krijg, kan ik niet tegenspreken. Je zou voor minder verliefd worden op zo'n fantastische vrouw, ook al is mij dit nooit eerder overkomen. Maar dat jij hierin niet verder wil gaan, dat begrijp ik en ik apprecieer je ingesteldheid tegenover Miriam en Stéphanie.Maar daarom moet onze relatie niet 'zakelijk' worden (zoals je schreef in je laatste mail, want dan kan ik voor jou niet terugdoen wat ik in de voorbije maanden gedaan heb. En ik wil nog graag zoveel blijven doen voor jou... hopelijk wil je dit ook Céline.

Ik hoop dat de 'gezonde' verliefdheid van mijn kant uit mag blijven (en hier zal je geen last van ondervinden), teneinde de band met jou 'als Miss' heel close te houden. Anderzijds hoop ik, nu je de situatie kent Céline, je mij niet in de steek laat en heel goed beseft wat het voor mij betekent om van jou een complimentje, een zoen, een knuffel, een positieve inzet, een dankjewel te krijgen... en je nu niet afgeschrikt bent door mijn openheid en eerlijkheid ten opzichte van jou.

Hopelijk moge alles verder gaan zoals het steeds 'zo mooi' geweest is.

Merci Céline ... dank voor je begrip.
Heel veel liefs,
Ignace

NB. : Nog een paar praktische afspraken :
Gelieve het nieuwe e-mail adres die ik je zondag gaf, niet meer te gebruiken.
Ik heb een mail gestuurd naar de organisatoren van de modeshow, uiteraard met een andere uitleg.
Vanaf morgennamiddag heb ik mijn GSM bij en kan je mij een bericht sturen.
Wanneer je zondagmorgen op de parking aankomt (liefst

om 8u-uiterlijk 8u15 wil je mij dan opbellen op mijn GSM
en eerst eens tot bij mij komen op mijn kamer? Ik zou je
liefst eerst eens alleen zien alvorens er andere mensen bij
zijn.
Gelieve uiteraard op deze mail niet te antwoorden en deze
strikt privé voor jou te houden. Ik hoop trouwens dat je
hierover met niemand gesproken hebt, waarvoor dank.
Sorry voor vanavond – dank voor je begrip.

Thuis bekent Ignace zijn pogingen om Céline Du Caju te versieren. De politie zoekt momenteel uit wie die mails naar buiten gebracht heeft.

Het dringt hoe langer hoe meer tot me door dat Ignace al langer probeert jonge meisjes te veroveren. Voor Ilie was er dus Céline, zij heeft gelukkig zijn avances nooit beantwoord, daar ben ik bijna zeker van. Céline kreeg een goede opvoeding en zag een snelle wip met Crombé niet zitten. Ze had teveel zelfrespect, eigenwaarde en klasse. Anne-Marie Ilie daarentegen heeft die kwaliteiten niet. Ilie heeft Crombé gewoon misbruikt om te winnen. Ze heeft hem verleid en hij is erin gelopen. Al gaat Crombé niet vrijuit, hij wil duidelijk al langer een jong meisje in zijn bed.

Dinsdag 15 Januari 2008

Nu de hele heisa is losgebarsten durft Ignace zich niet meer in de openbaarheid te vertonen, hij schaamt zich voor de publicatie. En terecht. Vanaf nu vergezel ik Nele op haar actes de présence. Om 20u worden we verwacht in de stand van onze sponsor Nissan op het Autosalon. Iedereen spreekt mij over de Story affaire aan, ik verkramp maar geef de indruk dat ik het mij allemaal niet aantrek.

Woensdag 16 januari 2008

De vernedering gaat verder. Vandaag verschijnt in Story het tweede deel in het dossier Miss Belgian Beauty. Daarin vertelt Miss Belgian Beauty 2007 Anne-Marie Ilie haar verhaal. Story maakt Ignace zwart, maar spreekt de waarheid; Crombé stuurde aangebrande e-mails, stalkte Ilie en belemmerde haar in haar vrijheid. Gelukkig schrijft Story niet dat Ignace een relatie had met Ilie. Toch heb ik vragen bij de publicatie van Story, waarom denkt een blad nooit aan de gevolgen voor ons, aan mijn dochter Stéphanie of mijn familie?

Volgende week belicht Story de rol van Nele Somers en het opstappen van de drie meisjes uit de Miss Belgian Beauty-organisatie. Ik probeer alles te onderdrukken want ik heb andere zorgen aan mijn hoofd. Straks ontmoet ik na acht jaar mijn ouders. Vorige week heb ik stiekem afgesproken met mijn moeder. Ik geef geen kik als Ignace vraagt waar ik naartoe ga. 'Lees jij de Story maar', gooi ik hem naar het hoofd. Stipt om 10u sta ik voor het ouderlijk huis. Mijn hart bonkt in mijn keel.
Vader doet de deur open en zegt meteen met tranen in zijn ogen dat ik welkom ben. Mijn moeder zit in de woonkamer. Het is één grote huilscène. Ze hebben de artikels in Story natuurlijk ook gelezen, mijn vader vraagt me of Ignace en ik nu met getrokken messen ten opzichte van elkaar leven. Ik probeer alles te minimaliseren en zeg dat ik Ignace nog steeds steun. 'Dat noemen ze onvoorwaardelijke liefde', denk ik. Maar ik begin te beseffen dat ik goed gek ben en dat dit geen goede manier is om mijn gezin bij elkaar te houden.

Het contact met mijn ouders verloopt warm en innig. We drinken koffie en halen onze verloren tijd wat in. Papa vraagt naar Stéphanie, ook haar hebben ze acht jaar niet gezien. Het is een emotionele dag, maar nog steeds durf ik Ignace niet op de hoogte te brengen van mijn bezoek.

Vanavond wordt Nele in Oostende verwacht. In het Kursaal vindt het 'Gala Van De Gouden Schoen' plaats. Francesca Vanthielen en Robin Janssens verzorgen de presentatie en Anouk en Natalia treden er op.
Ik pik Nele op en samen rijden we naar het casino van Oostende. De laatste weken wordt mijn band met Nele intenser. We praten veel over relaties en specifiek mijn verhouding met Ignace. Ze weet dat ik Ignace blijf steunen, maar ik voel wat ze denkt. 'Waarom blijf je dit doen Miriam, hij is toch een klootzak!' Ik vertel haar dat we de zaak samen hebben opgebouwd en dat ik alles probeer te doen om ons gezin

te redden. Het offer is groot: schandalen, wantrouwen, verdriet en veel pijn. Als ik ergens anders zou werken en geen quinto hebben met Ignace de paljas, dan had ik hem al lang laten vallen. Ik besef dat Ignace er op een dag vandoor zal gaan met iemand anders. Toch blijf ik in alle naïviteit vechten, als een leeuwin voor haar jong. In het casino probeer ik de meute mensen te verschalken, ik heb geen zin om telkens hetzelfde verhaal te doen. 's Avonds vertel ik Ignace wie ik heb gezien, met wie ik heb gepraat en wie naar de schandalen peilt.

Crombé reageert koel. Het blijft angstvallig uitkijken naar de nieuwe Story, want ook volgende week staat een nieuw negatief verhaal over Crombé op het menu.

Donderdag 17 januari - dinsdag 22 januari' 08

Ik krijg de hele week telefoontjes en sms'jes van vrienden. Ze leven met mij mee en vinden het heel pijnlijk dat ik word meegesleurd in een spiraal van schandalen. Ik trek me op aan de positieve complimentjes en probeer het weekend aangenaam te maken voor Stéphanie. Ook zij gaat gebukt onder de lawine van kritiek en gevormde oordelen op haar vader. We durven bijna niet buiten komen.

Woensdag 23 januari 2008

Ik wil niet naar de krantenwinkel. In Story staat het derde deel in het dossier Miss Belgian Beauty. Daarin wordt de affaire met de huidige Miss Belgian Beauty 2008 Nele Somers behandeld en de drie meisjes die uit Miss Belgian Beauty-verkiezing stapten. 'Ja, ik was zijn favoriet', bevestigt Nele in Story.

De hele organisatie en verkiezing wordt in vraag gesteld. Ik sta machteloos en besef dat dit alles buiten mijn wil en kennis is gebeurd. Ik vergelijk mijn situatie met die van Phaedra Hoste en Ilse De Meulemeester, ook zij weten wat het is om voorwerp uit te maken van een mediahetze. Ignace besluit terug te vechten en geeft een interview aan TV Familie.

Foto's, persartikelen en aantekeningen

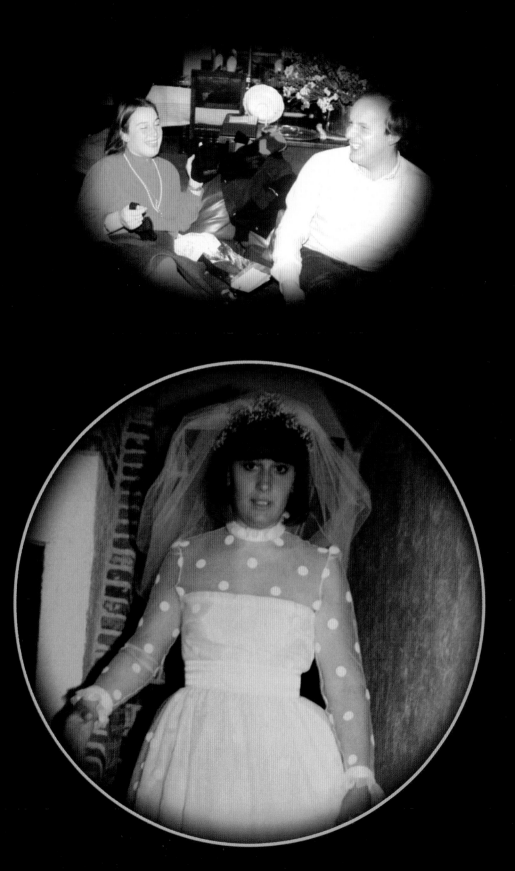

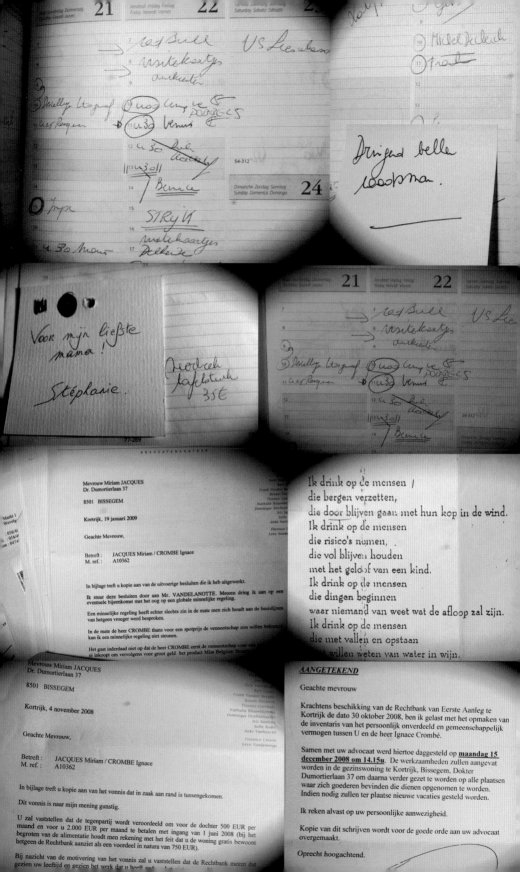

Mevrouw Miriam JACQUES
Dr. Dumortierlaan 37

8501 BISSEGEM

Kortrijk, 19 januari 2009

Geachte Mevrouw,

Betreft: JACQUES Miriam / CROMBE Ignace
M. ref.: A10362

In bijlage treft u kopie aan van de uitvoerige besluiten die ik heb uitgewerkt.

Ik stuur deze besluiten door aan Mr. VANDELANOTTE. Meteen dring ik aan op een eventuele bijeenkomst met het oog op een globale minnelijke regeling.

Een minnelijke regeling heeft echter slechts zin in de mate men zich houdt aan de basislijnen van hetgeen vroeger werd besproken.

In de mate de heer CROMBE thans voor een spotprijs de vennootschap zou willen bekomen kan ik een minnelijke regeling niet steunen.

Het gaat inderdaad niet op dat de heer CROMBE eerst de vennootschap voor een ...
ei inkoopt om vervolgens voor groot geld het product Miss Belgium Beauty...

Ik drink op de mensen /
die bergen verzetten,
die door blijven gaan met hun kop in de wind.
Ik drink op de mensen
die risico's nemen,
die vol blijven houden
met het geloof van een kind.
Ik drink op de mensen
die dingen beginnen
waar niemand van weet wat de afloop zal zijn.
Ik drink op de mensen
die met vallen en opstaan
willen weten van water in wijn.

Mevrouw Miriam JACQUES
Dr. Dumortierlaan 37

8501 BISSEGEM

Kortrijk, 4 november 2008

Geachte Mevrouw,

Betreft: JACQUES Miriam / CROMBE Ignace
M. ref.: A10362

In bijlage treft u kopie aan van het vonnis dat in zaak aan rand is tussengekomen.

Dit vonnis is naar mijn mening gunstig.

U zal vaststellen dat de tegenpartij wordt veroordeeld om voor de dochter 500 EUR per maand en voor u 2.000 EUR per maand te betalen met ingang van 1 juni 2008 (bij het begroten van de alimentatie houdt men rekening met het feit dat u de woning gratis bewoont de Rechtbank aanziet als een voordeel in natura van 750 EUR).

Bij nazicht van de motivering van het vonnis zal u vaststellen dat de Rechtbank meent dat gezien uw leeftijd en gezien het werk dat u heeft ...

AANGETEKEND

Geachte mevrouw

Krachtens beschikking van de Rechtbank van Eerste Aanleg te Kortrijk de dato 30 oktober 2008, ben ik gelast met het opmaken van de inventaris van het persoonlijk onverdeeld en gemeenschappelijk vermogen tussen U en de heer Ignace Crombé.

Samen met uw advocaat werd hiertoe daggesteld op **maandag 15 december 2008 om 14.15u.** De werkzaamheden zullen aangevat worden in de gezinswoning te Kortrijk, Bissegem, Dokter Dumortierlaan 37 om daarna verder gezet te worden op alle plaatsen waar zich goederen bevinden die dienen opgenomen te worden. Indien nodig zullen ter plaatse nieuwe vacaties gesteld worden.

Ik reken alvast op uw persoonlijke aanwezigheid.

Kopie van dit schrijven wordt voor de goede orde aan uw advocaat overgemaakt.

Oprecht hoogachtend.

Voor mijn liefste mama!

Stéphanie.

Parket houdt Crombé in ...
na zware ruzie met vriendin

Er komt geen einde aan de soap rond Ignace Crombé, de organisator van Miss
Belgian Beauty (MBB). Zaterdag werd hij
voorgeleid nadat hij een klacht
tegen hem had ingediend na een heftige
ruzie.

Crombé (51) en zijn vriendin Patricia Govaerts
(25) zaten gisteren in een vijfsterrenhotel aan
de Rode Zee. Hun trip verbaast, want de twee
hadden vrijdagnacht zo'n felle ruzie dat de
voormalige Miss Mol een klacht indiende,
waarna Crombé in het Kortrijkse gerechtsgebouw aan de tand werd gevoeld. Patricia
stuurde gisteren sms'jes naar de kandidates
van MBB met de melding dat ze geen klappen

had gekregen. Toen het koppel vrijdag ruzie
kreeg, belde Govaerts in paniek een vriendin,
die meteen kwam. Op straat zou er wat geduwd zijn, Patricia liep een schaafwonde op en
de auto van de vriendin werd beschadigd. De
twee dienden een klacht bij de politie. Zaterdagmorgen werd Crombé opgepakt, namiddag kon hij gaan onder voorwaarden. Welke dat
precies zijn, is niet bekend. "Als hij zich aan de
voorwaarden houdt, wordt hij niet vervolgd",
zegt eerste substituut-procureur Tom Janssens. "Komt er opnieuw een klacht, dan zal hij
voor de rechtbank worden gedaagd." Dat Patricia inmiddels de ernst van de feiten ontkent,
verandert daar volgens Janssens niets aan. "Zij
heeft haar klacht niet ingetrokken." AGr

Ignace Crombé onder begeleiding van twee agenten op de
binnenkoer van het Kortrijkse gerechtsgebouw. Foto JVK

Miss Belgian Beauty
op sterven na dood

Alleen contractuele verplichtingen houden sponsors en kandidates nog (even) aan boord

Hoe moet het nu verder met Miss
Belgian Beauty? Ignace Crombé heeft
... dan dat alles zijn gang
... gebeurt. Maar het
... dates

Van Camp heeft zich teruggetrokken om persoonlijke
redenen - neemt de vertwijfeling toe. Geen van hen
wil met zijn naam in de krant, maar we noteerden reacties
als "Mensen lachen ons uit omdat we hier nog aan
meedoen". "Nu ik dit hoor, heb ik geen zin meer om"
"Ik word er op mijn werk over aangesproken."

Wanhoop bij de meisjes

Verschillende meisjes sluiten niet uit dat er weldra
afzeggingen zullen volgen. Wat de jonge dames af-
schrikt, zijn de financiële gevolgen. Ze zijn met hun ...

Ignace Crombé
nergens meer welkom

Gisteren al geraakte bekend dat
Ignace Crombé eind augustus niet
meer welkom is als presentator van
de verkiezing van de Stadsambassadrice Menen. "Te delicaat",
schepen Rudi Vandamme. «Na al wat
er in de media is verschenen zou
Crombé ... daglijks ...

..., Francis Devoldt van Image
People: «We gaan onze contractuele
afspraken voor dit jaar nog nakomen, maar daarna stoppen we ermee. We hebben ook uitdrukkelijk
gevraagd om alle links op de site te
verwijderen.»
Vic De Jaegher van Physiomins: «Na
de hele ... vorig jaar ...

En ook de sponsors van Crombés Miss Belgian Beauty-verkiezing laten het
in groten getale af.

Deze beslissing nemen we ook uit
respect voor zijn vrouw Miriam.
Iedereen kan verliefd worden

JELLE BRANS

100 BV'S VAN 2008

Miriam, de bijna ex-vrouw
van Ignace Crombé

'IK HOOP IN 200
STIEKEM OP EEN
NIEUWE LIEFDE'

Het was haar jaar niet. Helemaal ...
het leventje ...

NA HET LIJDEN: DE LIEFDE
DIEP IN DE ZIEL VAN
WERNER DE SMEDT

PEGGY TERUG IN 'THUIS'
SALLY-JANE VAN HORENBEECK
Verdriet om plotse dood
van haar mama staat
blijdschap in de weg

WAAROM STÉPHA...
HAAR VADER EEN...
IN ZIJN GEZICHT...

IGNACE CROMBÉ

VAN KWAAD NAAR NOG ERGER

4 NIEUWE

IGNACE CROMBÉ UREN IN DE CEL

...gian Beauty-organisator Ignace Crombé (51) heeft zaterdag enkele uren in de cel door-
...Vrijdagavond was het tot een zware ruzie gekomen met zijn nieuwe vriendin, Patricia
Het ging er zo hardhandig aan toe dat Govaerts en een vriendin die haar te hulp was geko-
...indienen bij de politie. Zaterdagmorgen werd Crombé ondervraagd en enkele uren van
...beroofd. In de loop van de dag mocht hij onder voorwaarden de cel verlaten.

TONNY VERHAEGHE

...politie al tussen-
...uize Crombé voor
...d. Bijeendiscussie
...Miriam liepen de
...dat er moest wor-
...derwerp van de
...icia Govaerts, de
...voor wie Crom-
...Vorige vrijdag,
...later, herhaal.
...Maar ditmaal
...zijn nieuwe
...idrollen.

...wijzen dat
...eindigen

Crombé verbergt zijn
gezicht bij het verlaten van
het gerechtsgebouw.

HELE JAAR LIEFDESPERIKELEN

Begin dit jaar was er naar buiten uit geen vuiltje
aan de lucht voor Ignace Crombé. Maar toen
kwam de lawine op gang.

9 JANUARI 2008. Verliefde mails van Ignace Crombé aan twee missen, Anne-Marie Ilie en Céline
Du Caju, lekken uit. En die laten niets aan de
verbeelding over. «Mocht ik je nu toch heel...

MET ...
TEGEN
De Belgische ...
weegt de uitgif...
bon waarvan de
koppeld aan de
«Met een produ...
rente wordt aa...
inflatie is de inv...
dat hij boven o...
compensatie k...
inflatie», zegt dir...
boutte van het A...
de Schuld.
De Schatkist best...
alternatieven...
opbrengst van ...
staatsbons sterk...
Dat heeft te mak...
dat de staatsbo...
anoniem op papie...
zijn, maar ook m...
hoger oplopende...
het rendement we...

Test-Aan...
vraagt on...
naar iP...

Test-Aankoop
heeft een
klacht inge-
diend tegen
de iPhone-
gsm van
Apple.

euro per maand van Ignace G...

ORGANISATOREN MISS-VERKIEZINGEN BO...

dinsdag 2 september 2008

«Crombé maakt sector kapot»

«Het wantrouwen is gigantisch», zuchten organisatoren van
diverse Miss-verkiezingen in ons land. Minder kandidaten, wei-
lende sponsors, minder interesse van de televisie, het zijn maar
enkele van de problemen waar ze nu mee te kampen krijgen. «De
klad zit in onze sector», zucht Rik Vervecken, organisator van onder meer Miss Diamant en Miss Vlaanderen.
«Met dank aan Ignace Crombé en zijn fratsen.»

TONNY VERHAEGHE

Verliefde mails aan zijn missen, zijn
vrouw inruilen voor een miss, politie die
moet tussenkomen voor familiaal geweld: Ignace Crombé...
het nieuws weg of de...

Noël Lallemand, organisator
van de Miss Vlaan-
zing in...
er ...

MISS

...P NOOIT MEER
EEN VLIEG MIS

...onthult truc:

Een Amerikaanse
professor heeft de
...beste manier
...ontdekt om vliegen
...dood te slaan. De
uiterst efficiënte
techniek kwam aan
het licht bij het
bestuderen van
videobeelden
waarop aange-
vallen wordt met
een vliegen-
mepper.

Het onderzoek
van professor
Michael Dickinson
wees uit dat het brein
van een vlieg heel snel
een actieplan kan uit-
dokteren als er gevaar
dreigt. Dickinson weet nu
hoe we dat actieplan kunnen
...dwarsbomen. «Eerst en voral-
...probeer een vlieg niet dood te
...s de Ferrari in volle vlucht. De
...de huisvlieg
...in 30 duizendste van een se-
...van koers veranderen. Wacht
...angs achteren. Gebruik een vlie-
...pper die qua kleur zo min moge-
...beekt met de omgeving. Omdat ze
...oekt op een bepaald ogenblik
...ositie van de vlieg, maar iets
...(JF)

...rd Branso...

Zoon C
onha
'IK HEB
ALS MO

Prin
G
afs
sh
Nel

Geen vrienden,
Juni

IGNACE & PATRICIA
'EEN KIND

STUDENTIKOOS HUWELIJK. — De Kortrijkse studentenclub «'t Distributeurke» was in feest. Ex-preases Ignace Crombé trad in het huwelijk met Myriam Jacques. Hoeft het gezegd dat heel wat commilitones aanwezig waren?

Woensdag 30 januari 2008

Ignace reageert in TV Familie op de aantijgingen van ongewenste intimiteiten, favoritisme en de liefdesmails naar Céline Du Caju. Daarin geeft hij toe dat hij zich als een puber
heeft gedragen.

Ik heb lange gesprekken met Stéphanie. Ik probeer op haar
in te praten en alles te plaatsen. Ik wens dat Stéphanie nog
de naturel en de schoonheid van een liefdesrelatie kan zien.
Maar hoezeer ik de impasse ook tracht te relativeren, het
lukt mij niet om de boosheid bij haar weg te halen. 'Wat
papa doet is degoutant, ik heb het zeer moeilijk met zijn
gedrag', reageert Stéphanie.

's Middags sorteer ik de post, ik check de mails en doe de
boekhouding.
Ik vind een bepaald document en bel naar Ignace. Hij geeft
aan in welke map ik het kan terugvinden. In de map vind ik
een e-mail van Ignace naar Patricia Govaerts.

Hey Patricia,

TER INFO
Vrijdag 1/2 om 9u : vergadering in Holiday Inn Gent
*Vrijdag 1/2 's avonds : uitreiking Mia's (misschien gaat
M)*
*Zaterdag 2/2 om 19u : Cutting Edge Awards in Gent (mis-
schien gaat M)*
*Zondag vertrekken we rond 11u naar Carnaval Aalst tot 's
avonds. Misschien moet je wel 'verkleed' aanwezig zijn!!!*
*Maandag 4/2 om 11u vergadering bij Moortgat (Duvel) in
Puurs – alleen*
*Donderdag 7/2 om 17u30 afspraak in Plopsaland Hasselt.
Nadien Zesdaagse van Hasselt (19u) met Nele.*
*Vrijdag 8/2 om 12u 's middags met klanten gaan eten in
Kort-rijk (ook M)*
xxx

Het is een duidelijke mail. Het is een bijna identieke mail

die Ignace ooit stuurde naar Anne-Marie Ilie. De M staat voor Miriam en het is een lijstje van mogelijke afspraakjes. Waarom moet die Patricia dag na dag weten wanneer mijn man vrij is? Wat doen ze in die vrije momenten? Praten over de kandidatuur van de volgende Miss Belgina Beauty-verkiezingen? Ik merk dat ik weer probeer te minimaliseren en te relativeren. 'Stop Miriam!', roep ik. 'Die man is echt onbetrouwbaar', zucht ik luidop. Nog geen twee weken na zijn huilbuien en zijn smeekbedes krijg ik deze mail in mijn gezicht. Ignace is onverbeterlijk. Ik probeer rustig te blijven tot hij thuiskomst. 'Wat heeft deze mail te betekenen Ignace?', vraag ik hem. Hij strijdt weer alles af. Ik voel me echt rot, de artikels in dag – en weekbladen worden me teveel en ook de affaire met Patricia maakt me misselijk. Ik kan niet anders dan in mijn werk vluchten en bezig zijn, ik heb geen ander houvast.

Maandag 4 februari 2008

Ik krijg tal van telefoontjes van dag – en weekbladen, maar weiger een interview te geven. Gelukkig gaat de mediastorm voorlopig liggen. De voorbereidingen voor de nieuwe Miss Belgian Beauty zijn gestart maar door de heisa ondervinden we grote moeilijkheden om voldoende kandidaten te vinden. De eerste inschrijvingen liepen begin januari binnen, maar sinds Story die artikels heeft gepubliceerd stagneren de inschrijvingen. Pikant detail, Story schreef toen in een artikel: 'We hopen dat er geen nieuwe inschrijvingen zullen zijn. Wat voor een moeder wou haar dochter toen nog naar onze missverkiezing sturen?' De weinige inschrijvingsbrieven geven aan dat de hele verkiezing is ondermijnd.

Woensdag 6 februari - maandag 25 februari '08

Ignace heeft tal van afspraken met vooral pr-verantwoordelijken van bedrijven. Hij smeekt mij mee te gaan omdat hij de indruk wil geven dat alles koek en ei is tussen ons. In functie van de organisatie speel ik de ideale vrouw. Maar tussen ons botert het niet. Ignace is een muur en ik knap psychologisch en emotioneel volledig op hem af. Crombé vergeet Valentijn.

Gelukkig krijg ik op 14 februari een prachtig boeket bloemen van Stéphanie. Op het kaartje staat:

Voor mijn liefste mama! Stéphanie.

Het doet mij alle ellende vergeten.

Dinsdag 26 februari 2008

Ik probeer de pijn en ellende van mijn stukgelopen huwelijk te camoufleren door 15 uur per dag te werken. We hebben tot nu toe een veertigtal inschrijvingen binnengekregen voor de Miss Belgian Beauty-verkiezing. Ondanks de negatieve publiciteit is het een pak meer dan verwacht. Gelukkig zijn er nog preselecties in Luik en Brussel en daar is over de hele Crombé-affaire niet zoveel geschreven, dus daar verwacht ik een grote opkomst van kandidates. Intussen doe ik alles om de slechte naam van Crombé te zuiveren.

Zondag 9 maart 2008

Op de preselectie van de Miss Belgian Beauty-verkiezing in *hotel Serwir* in Sint-Niklaas is er enorm veel pers komen opdagen. De voorbije jaren hebben we hier nooit een journalist gezien. Allicht hopen de persjongens dat de organisatie Miss Belgian Beauty dood is. In een interview met Rudy Tollenaere van Het Nieuwsblad verdedig ik Ignace. Ik zeg dat iedereen de organisatie kapot wil maken en begin te wenen. Wij zijn tevreden met de veertig kandidaten, de verkiezing kan door gaan.

Na de preselectie is er traditioneel een etentje met de juryleden. In het verleden hadden we niet veel moeite om juryleden te vinden, maar op Nele na zit er geen enkele ex-miss in de jury. Iedereen haakt af na de lastercampagne. Na het etentje maak ik mij op om met de wagen naar huis te vertrekken. Een medewerker van het hotel spreekt me nog even aan. Hij zegt: 'Die hostess die hier gisteren heeft geholpen met Ignace, dat is toch ook maar niets hé'. Ik val compleet uit de lucht. Ignace heeft me gisteren niets over een hostess meegedeeld. Ik zoek Ignace op in de hotellobby en vraag uitleg. 'O, dat was Patricia', reageert hij laconiek. 'Zij heeft mij inderdaad geholpen en is hier gisterenavond blijven slapen.'

Ik weet dat hij mij bedriegt, ik voel zijn leugens opkomen en toch doet hij alsof er niets aan de hand is. 'Ah, je kent de wereld niet, iedereen heeft een lief', brult hij. Ik vertrek meteen naar huis en besef in de wagen dat hij nog altijd overspel aan het plegen is.

Maandag 10 maart 2008

Ik heb vorige nacht bijna niet geslapen. Ignace bedriegt mij al maanden met Patricia. Eerst die mail, eergisteren samen in het hotel geslapen en gisteren gaf hij toe dat Patricia er sliep. Met mij heeft hij al maanden niet meer gevreeën.

Ik heb enorm afgezien van zijn buitenechtelijke relatie met Ilie, ik kan het geen tweede keer laten gebeuren. Dat kan ik onmogelijk nog opbrengen. Wat moet ik doen? Een detective inschakelen en Ignace laten volgen? Alleen op die manier kan ik snel uitsluitsel hebben over zijn escapades, waarom geeft Crombé zijn overspel niet gewoon toe, de lafaard. Hoe kan hij mij zo in de waan laten?

Volgende zaterdag is er de preselectie in Luik en een week later de preselecties in Brussel. Zal die Patricia er weer zijn? Zal ze ook dan samen met hem overnachten? Ik vraag Ignace of Patricia aanwezig zal zijn op de twee preselecties. Hij ontkent. Ik geloof hem, maar in mijn onderbewustzijn ben ik zeker dat hij de nacht deelt met Patricia Govaerts.
Ik kan nergens terecht met mijn pijn, alleen in dit dagboek. De eenzaamheid en miserie worden me onderhand echt allemaal teveel.

Woensdag 12 maart - woensdag 26 maart '08

Alweer twee weken van slapeloze nachten en pijn in het hart. Ik heb een kleine troost, we kregen toch voldoende kandidaturen binnen. De Miss Belgian Beauty-organisatie is niet dood. Mijn hart daarentegen is wél dood. Ik begrijp niet waarom ik mijn job blijf doen. Crombé behandelt mij als een paria. Ik ben echt een naïve seut.

Donderdag 27 maart 2008

Ik breek van binnen, maar probeer professioneel te blijven, ik kan de meisjes niet in de steek laten vandaag. Straks is er de persvoorstelling van de 20 finalisten in *Hotel Cortina* in Wevelgem. De sfeer is de laatste dagen volledig vertroebeld. Ik sleep mij naar Wevelgem. Voor de persvoorstelling houdt Ignace een exposé. Hij zegt tegen de meisjes dat het schandalig is dat ze zijn mails naar de pers lekken. Ik begrijp de reactie van de finalistes. Ignace heeft nooit beseft dat zijn privéleven al een hele poos verweven is met zijn professioneel leven. Zijn job is werken met jonge meisjes, deontologisch mag en kan hij niet verder gaan. Hij mag zeker geen dwaze mails sturen of sterker nog: verliefd worden op één van die meisjes. Zijn professioneel leven is op dit moment ook zijn privéleven. De lijn is niet meer te trekken. Na Céline Du Caju en Anne-Marie Ilie is er nu Patricia. De meisjes en de pers spuwen hem uit en hij beseft het niet. De laatste maanden heeft de pers aangetoond dat hij verkeerd bezig is op professioneel gebied. Dat beseft hij nog steeds niet.

Voor de avond van start gaat, check ik nog eens mijn mails. In een mail bedankt Patricia Ignace voor de uitnodiging. Ze vraagt of ze een vriendin mag meenemen. 'Moet zij hier nu ook weer zijn?, vraag ik. 'Ze doet niet mee aan de verkiezing zoals je maanden geleden hebt voorgelogen en ze moet er toch weer bijzijn'. Ignace reageert furieus. 'Ik nodig nog altijd uit wie ik wil', zegt hij. Stipt om 19u sta ik zoals gewoonlijk aan de ingang van *Hotel Cortina* om de genodigden persoonlijk te begroeten. Ik stel me altijd voor Ignace op omdat ik zeer goed namen kan onthouden. Ignace heeft daar heel wat moeilijkheden mee. Doordat ik de mensen luidop bij naam begroet, weet hij wie wie is. Alles verloopt gemoedelijk tot Patricia aangewandeld komt. Ik wend mijn hoofd af en vertik het om iets te zeggen. De hele avond hou ik het contact tussen Ignace en Patricia nauwlettend in het oog. De persvoorstelling verloopt goed, tot Ignace zijn speech voorleest. Ik word er doodstil van.

Een goede avond dames en heren,

Welkom op het jaarlijks rendez-vous bij de start van een nieuwe editie Miss Belgian Beauty. Welkom in deze prachtige Salons Cortina en dit teneinde de 18de uitgave van onze nationale verkiezing op gang te trekken.

Sommigen hadden wellicht gehoopt dat deze voorstelling er nooit meer was gekomen, anderen hadden gedacht een ander opperhoofd te zien opdagen, maar de echte kenners … en ik noem ze voortaan 'mijn goede vrienden' wisten dat wie recht in zijn schoenen staat zich niet laat onttronen door enkele oproerkraaiers. 'Wie zonder zonde is, werpe de eerste steen'.

De voorbije maanden werd er in de pers duidelijk op de man gespeeld en niet op de bal. Het werd een spelletje onder de media om steeds straffer uit de hoek te komen… de naam Ignace Crombé werd een lustobject die vaak zonder enige aanleiding erbij werd gesleurd en die mij in de peilingen rond naambekendheid heel hoog op de rangorde piloteerde.
Maar wees gerust, daar ben ik niet gelukkig om.
Wel om het feit dat ik samen met mijn gezin deze zwarte periode heb doorworsteld teneinde mijn levenswerk verder te zetten.
Miss Belgian Beauty is een organisatie die zuiver op de graat is. Dat garandeert net de kwaliteit en de objectiviteit van onze verkiezing. Ik nodig iedereen uit om die kwaliteit en objectiviteit te controleren, de jurering is open en duidelijk in dit verband.
En wat ons privé-leven betreft, daar moet niemand geen vragen meer over stellen. Hierop zal ik nooit meer antwoorden. Daar heeft 'jan publiek' geen boodschap aan.
Ik doe niet meer mee aan dit triestig fenomeen in de pers, de 'verbritneysering' van onze maatschappij waarbij elk privé-element in de kijker wordt gezet.

Toch vind ik het spijtig dat de relaties met de pers wat vertroebeld zijn. Ik moet en ik wil daar niet schijnheilig over doen: jullie hebben Miss Belgian Beauty mee groot

gemaakt. En daar blijf ik jullie dankbaar voor.
Laat vanavond dan ook de start betekenen van een schit-
terende 18de editie. En wanneer het aan de kandidaten
ligt, dan wordt het een 'grand cru-jaar'.

Dank dames en heren dat u ongeveer 300 keer positief
hebt geantwoord op mijn mail, die hier meteen openbaar
wordt gemaakt door jullie aanwezigheid met maar liefst
497 personen.
Een bewijs dat velen Miss Belgian Beauty een warm hart
toedragen.

Mesdames et Messieurs, vous êtes venus nombreux et
votre présence me fait chaud au cœur. Cela témoigne
de votre sympathie pour l'organisation de Miss Belgian
Beauty, qui se prépare à l'élection de sa dix-huitième
Miss. De nombreuses jeunes filles ont réagi avec beaucoup
d'enthousiasme. 20 d'entre elles sont devenues finalistes
et rêveront pendant 7 mois de porter la couronne tant
convoitée de Miss Belgian Beauty 2008.

Ik wil in eerste instantie dan ook mijn sponsors bedanken
omdat ze zich niet op een verkeerd spoor lieten zetten en
in ons het volste vertrouwen hebben bewaard :
Vooreerst dank aan mijn hoofdsponsors :
-Physiomins, de nummer 1 in afslanken en verstevigen –
2de jaar hoofdsponsor
-Image people – 2 jaar vip-sponsor en voor derde jaar
hoofdsponsor
-Coiffure Xantippe – reeds 18 jaar vip-sponsor of hoofd-
sponsor
-Juwelen Meevida – 2de jaar hoofdsponsor
-Nissan – 3de jaar hoofdsponsor
-Sunrise Hotels in Egypte – vijfsterrenhotels – 1ste jaar
hoofdsponsor

Dank ook aan onze vip-sponsors :
-De stad Knokke-Heist
-Badpakken Hot Couture
-Hotel José Blankenberge
-Webdesign Bladefx

-Bouwgroep Versluys
-Advertisingbureau Boa
-Keizershof Hotel Aalst
-Marketingbureau Scaramanga
- en Couturier Giuseppe Zarba

Maar liefst 214 meisjes stuurden hun kandidatuur en dit was bijna het dubbele in vergelijking met vorig jaar. Uiteraard was de tweede selectiedag tijdens de paasvakantie de dooddoener omdat veel meisjes met verlof waren. Maar bij Miss Belgian Beauty is kwaliteit nu eenmaal belangrijker dan kwantiteit. En deze kwaliteit straalt onze nieuwe lichting finalisten zeker uit.

Voor onze 20 nieuwe finalisten wordt het een unieke ervaring. Wij introduceren hen in de wereld van de publiciteit en marketing, bieden hen een cursus zakelijke en culinaire etiquette aan, leren hen spreken in het openbaar en maken hen vertrouwd met de catwalk.
Voorts is het ons streefdoel een gezonde individuele competitiegeest te combineren met teamspirit binnen de ganse groep.
Miss Belgian Beauty is een verkiezing waar ze meer in hun mars moeten hebben dan een mooi snoetje. Ze worden getest op hun persoonlijkheid, hun artistieke talenten, hun uitstraling, hun teamgeest, hun verbale expressie, hun intellect, hun gevoel voor marketing en pr-activiteiten, hun elegantie en nog zoveel meer.

Aandacht in eigen stad of gemeente door vrienden en kennissen, maar ook door overheidsdiensten en regionale persmedia, zullen hen vanaf morgen de waarde van deze onderscheiding doen smaken. Tijdens de promotietrip die we aan de kust zullen maken, worden ze in alle badplaatsen als 'sterren' verwelkomd. De reis naar Egypte moet dan de slagroom betekenen op dit uitgebreide nagerecht. Het prachtige Sunrise Hotel in Hurghada aan de Rode Zee, zal er een week lang de thuishaven zijn voor een zonnige, ontspannende en onvergetelijke vakantieweek.

En ook al lijkt 18 oktober nog heel ver weg, de verkiezings-

avond in het Knokse Casino zal voor één meisje onder hen de start betekenen van een nieuw leven, gevuld met een grote korf vol materiële, menselijke en financiële voordelen.

Dames en heren, straks zullen we samen het glas heffen op een succesvolle campagne. Wil u op de BV-barometer komen, drink dan zeker een Vedett of een Duvel voor zij die mij al lang geen engel meer vinden.
Maar vergeet ook niet om een bezoekje te brengen aan de cocktailbar Shake-it-easy. Alle zure cocktails dragen een variante op de naam van Thomas Siffer. Witl u een zoete cocktail, dan belandt u in de smaken Céline Du Caju.

Dames en heren, maak er een onvergetelijke avond van. Ik hou van jullie.

In de speech heeft Crombé het over 'Mijn levenswerk, mijn mail, mijn sponsors'. Dat is een mooie attentie naar mij toe. Hij hekelt ook de pers: 'En wat ons privé-leven betreft, daar moet niemand geen vragen meer over stellen. Hierop zal ik nooit meer antwoorden. Daar heeft 'jan publiek' geen boodschap aan. Ik doe niet meer mee aan dit triest fenomeen in de pers, de 'verbritneysering' van onze maatschappij waarbij elk privé-element in de kijker wordt gezet.' Ik hoop dat hij zijn woord houdt en geen interviews meer geeft. Bon, ik heb even andere zorgen aan mijn hoofd. De aanwezige journalisten verlaten langzaam het hotel. Rond 23u zijn er nog een tiental mensen in de grote zaal. Ook Patricia loopt er nog rond. Op een bepaald moment zie ik dat Patricia een gsm uit haar zak haalt en hem aan Ignace geeft. Ik weet dat er iets niet pluis is, maar reageer niet en zwijg. Nog steeds geloof ik dat mijn band van 24 jaar met Ignace sterker is dan het geflirt met een slons uit Turnhout.

Ik besef nu ten stelligste dat die twee een affaire hebben. Ignace heeft me wederom maandenlang belazerd. Je geeft niet zomaar een gsm aan een wildvreemde vrouw. Ik wacht tot de persjongens naar huis zijn om zo snel mogelijk klaarheid te brengen. Als Ignace en Patricia naar buiten wandelen grijp ik in. 'Wat heeft dit allemaal te betekenen', roep ik. Zo groot is mijn afschuw en woede. Ik vraag Ignace hoe het mogelijk is dat hij nog eens een affaire heeft. 'Het moet onmiddellijk stoppen. Laat mijn gezin met rust', roep ik tegen Patricia. Patricia reageert zeer gemeen. 'Het is nu eenmaal zo. 'Ge moet je daar maar bij neerleggen, ik zie hem zo graag', lacht ze.

Dit spelletje moet al sinds augustus 2007 aan de gang zijn. Die twee spannen al acht maanden tegen mij samen. Hoe durven ze! Zo respectloos, ik sta perplex. Ik begrijp hoegenaamd niet dat Patricia nog bij Ignace wil zijn. Hoe dom kun je zijn om na het verschijnen van al zijn stommiteiten in de pers nog met die Missmaker aan te pappen. Heel Vlaanderen reageert verbolgen op de misstappen van Crombé, en je maakt mij niet wijs dat het grote liefde is tussen die twee. Wat denkt dat meisje te winnen? Een zak geld? Wil ze aan haar banaal anoniem leventje wat glamour toevoegen? Ik hoor al langer dat ze graag in de schijnwerpers staat. Op de persvoorstelling vanavond was ze constant met haar uiterlijk bezig. Ik blijf staan en vraag uitleg. Govaerts verdwijnt zonder iets te zeggen. Ignace en ik rijden apart naar huis. Ik met de auto en hij met de bestelwagen. Thuis wacht ik tot Ignace arriveert. Ik wil er nog over praten, maar ik besef dat Ignace gedronken heeft en met een beschonken Ignace een gesprek proberen te voeren heeft geen zin, dan roept en schreeuwt hij. Ik ga slapen, Ignace stapt onmiddellijk naar zijn bureau. In bed huil ik, mijn huwelijk is over. Ik kan het niet meer aan. Hoe moet het nu verder, hoe vertel ik het Stéphanie. Wat moet ik met mijn leven doen? Welk onnozel figuur zal hij nu weer in de pers slaan?

Vrijdag 28 maart 2008

Vandaag is Ignace al vroeg vertrokken om de zaal op te ruimen in *Hotel Cortina*. Er zijn stagiairs op ons kantoor, als Ignace thuiskomt is er geen plaats om te praten over zijn buitenechtelijke relatie.

Ik kan niet geloven wat er de laatste maanden allemaal gebeurd is. Ik begrijp niet hoe ik me in al die heisa staande hou, maar ik wil vechten voor mijn gezin. Dat is het enige wat ik mezelf voor ogen hou. Stiekem hoop ik dat Patricia Govaerts Ignace dumpt zoals Anne-Marie Ilie haar heeft voorgedaan. Daarom wil ik nog met niemand praten over het overspel van Ignace. Stel dat hij opnieuw voor mij kiest, dan weet iedereen dat hij overspelig is. Dat wil ik niet.

Maandag 31 maart 2008

Ik begin de moed op te geven. Het dringt tot me door dat onze relatie helemaal op een dood spoor zit. Zelfs het laatste sprankeltje hoop dat ik nog had wordt weggeblazen. Vandaag zegt Crombé dat hij weg wil. 'We gaan uit elkaar, ik wil hier weg, ge moogt het allemaal hebben. Ik moet niets hebben', blijft hij herhalen. Hij voelt zich oppermachtig en toont geen greintje medeleven. Denkt hij werkelijk dat het zo gemakkelijk zal zijn om mij en Stéphanie buitenspel te zetten, om ons uit zijn leven te bannen?

Ergens diep van binnen hoop ik dat hij zijn verstand zou gebruiken en inziet wat er hem allemaal te wachten staat als op die manier zou doorgaan. Maar vandaag is het duidelijk: het is over.

Dinsdag 1 april 2008

Ik wil de voorbije 24 jaar niet zomaar weggooien. Ten einde raad probeer ik een gesprek aan te knopen met Ignace. Het gevolg laat zich raden, hij roept en tiert, ik schreeuw en gil terug. 'Laat ons terug van nul beginnen zoals je hebt beloofd', roep ik. 'Laat me met rust', buldert hij. Als een razende gaat hij te keer. Hij wil weglopen, maar ik klamp mij aan hem vast. Ik wil hem niet laten gaan, ik hou zijn broek vast en die scheurt. Als hij naar boven stormt om een nieuwe broek aan te trekken leg ik mij achter zijn auto op de grond. Ik wil vermijden dat hij wegrijdt. Ik smeek hem: 'Ignace blijf hier. Doe dat niet!'. Uiteindelijk blijft hij thuis en zondert hij zich af in zijn bureau met zijn twee grote liefdes: Jo Vally op cd en een glas wijn.

Om 03u komt hij naast me slapen. Rug aan rug.

Woensdag 2 april 2008

Ik kan onmogelijk rustig converseren met Crombé. De toon
van de dialogen is typerend voor wat er zich de laatste weken afspeelt. 'Ik doe wat ik wil, iedereen scheidt', repliceert
hij onophoudelijk. 'Ga maar met haar samenwonen, maar
besef goed dat je alles verknoeit wat we in al die jaren hebben opgebouwd', reageer ik. 'Gij kunt niet zonder mij, je
bent niets zonder mij, je zal in de goot belanden! Ik kan
zonder u, je bent dik, oud en lelijk', is zijn antwoord.

Hoe je op zo'n moment iemand niet vermoordt snap ik niet.
Hij heeft mij het bloed vanonder de nagels gepest maar ik
ben nooit weggegaan.

Vrijdag 11 april 2008

Ignace wil reageren op de artikels, maar ik hou hem tegen.
Alle media zijn op de zaak Crombé gesprongen. Ik vertrek
met Stéphanie naar Knokke. Vanavond en morgenavond is
het de Nacht van Exclusief in het casino. Ignace blijft thuis,
hij zit naar eigen zeggen diep in de put door de vele negatieve artikels over zijn persoon. Ik laat het niet aan mijn hart
komen, hij zal wel afgesproken hebben met het Kempens
meisje en haar hoofd op hol brengen met financiële beloftes
en veel blabla.

Zaterdag 12 april 2008

Ik word cynisch, dat wil zeggen dat ik me sterker voel, maar
het verdriet blijft. Vanavond ga ik nog eens met Stéphanie
naar de Nacht van Exclusief. Er zijn optredens van Bart Ka-
ëll, Gunther Neefs, The Gibson Brothers en Gunther Levi.
Er zijn 3.500 gasten en heel de mediawereld is aanwezig :
van Paul Jambers, Bé De Meyer en Véronique De Kock tot
Wendy van Wanten en Karel de Gucht.

Ook aanwezig is Thomas Siffer, de hoofdredacteur van
Story. Hij stapt op mij af. Story is mijn grootste vijand omdat het blad in januari al die verhalen over Ignace publiek

maakte. De gevolgen zijn ondertussen bekend. Mijn leven is sindsdien een chaos. Mijn privé-leven ligt op straat. Wij hebben nog steeds een rechtzaak lopen tegen Story. Siffer stelt zichzelf voor. Ik reageer erg terughoudend. 'Dag Miriam. Ik ben Thomas Siffer. Ik wil u alleen laten weten dat we nog veel meer weten. Maar dat we het niet gepubliceerd hebben uit respect voor jou en jouw dochter'. Ik kan moeilijk mijn ongemak camoufleren. Moet dit nu allemaal?

De Nacht van Exclusief was verschrikkelijk voor mij. Al die commentaren aanhoren, ik gun het niemand. Niemand begrijpt dat ik Ignace blijf steunen. Toch hoop ik dat het goedkomt, maar na de laatste gesprekken en uitbarstingen geeft mijn gevoel onze relatie nog 1 % kans.

Woensdag 16 april 2008

Ik werk vandaag wat op bureau om mijn zinnen te verzetten en het piekeren te vergeten. Ik open een mail van Ignace naar Patricia. De inhoud breekt mij.

Eindelijk wat tijd om je een mailtje te sturen. Ook druk bij jou schat? Vanavond moet M naar school Stéfanie in Gent (is weg van 18u15 tot 20u wellicht) Waarschijnlijk moet M met Nele en VTM in Brussel gaan eten op donderdagmiddag as om 12u (weg van 10u45 tot zeker 14u). Straks bevestiging. Kon je dan maar even komen, want we zullen mekaar tijdens weekend weinig zien?
Begrijp niet waarom je voor een interview met Radio Benelux ook moet gaan eten? Weer 2 uur voor interview van 15 minuten? Waarom komt Jenny en haar familie naar Antwerpen? Ik dacht dat ze wegens zwangerschap niet zo veel meer wegging? Wat zullen jullie doen?
Uitziend naar je sms
Mis je.
Liefs,
xxx

Patricia faxte de uitgeprinte mail met enkele handgeschreven aanvullingen terug naar ons kantoor. Op de fax staan niet mis te verstane bewoordingen.

*Zoveel vragen poepie en we moeten dat oplossen per sms/
mail/fax ! Wat een gedoe... waarom zie ik u zo graag baby?
Heel veel liefs – xxx*

Nu is de maat vol. Ik bel naar Ignace dat de schrijfster van
'poepie' en 'baby' haar poëtische schrijfsels bij haar houdt
en dat hij een regelrechte nozem is, een leugenaar, een puber.

Donderdag 17 april 2008

Na een slapeloze nacht probeer ik de moeder en de broer
van Ignace in te schakelen om mijn man aan zijn verstand te
brengen dat hij verwoestend bezig is. Enkele weken geleden
heeft zijn moeder er al mee gedreigd dat ze Crombé nooit
meer wilde zien als hij zijn gezin zou verlaten. Ignace heeft
daarop zijn moeder plechtig beloofd om Patricia te vergeten. Zijn broer Pascal zegt dat hij zich niet wil moeien met
het privé-leven van Ignace.

Ik wil Crombé de deur wijzen, maar ik durf niet. Moet ik
morgen een gerechtsdeurwaarder inschakelen om hem te
betrappen op overspel? Dan sta ik veilig. Neen, ik geef hem
nog een kans, als hij tenminste snel een eind maakt aan zijn
affaire met Patricia. En vanavond stuur ik hem zeker naar de
logeerkamer, ik wil niet dat hij naast mij ligt.

Vrijdag 18 april 2008

We werken de hele dag op kantoor. 's Avonds zet Ignace zijn
gsm op stil, omdat Patricia hem constant berichten stuurt.
Als ik hem daarover aanspreek minimaliseert hij weer. 'Ik
wil er niet over praten', zegt hij.

Ik wacht tot ik luid gesnurk hoor in de logeerkamer, zo weet
ik dat Ignace slaapt. Ik daal de trap af en stap het kantoor
binnen op zoek naar zijn gsm. Elke avond verstopt Ignace
zijn gsm op een andere plaats. Een tijdje geleden heb ik de
gsm van Ignace zo ingesteld dat er een kopie bewaard blijft
van alle berichten die hij verzendt. Ignace weet niet zo veel

van gsm's en heeft dat nooit opgemerkt. Na een halfuur vind ik zijn gsm en check de berichtjes. Ik zie heel wat liefdessms'jes en word niet goed. Ik kook, ik lees ook dat hij samen met Patricia een voetbalwedstrijd van KV Kortrijk heeft bijgewoond.

Zaterdag 19 april 2008

's Morgens vraag ik hem langs mijn neus weg met wie hij naar het voetbal is geweest. Ik zeg hem dat ik een telefoontje had gekregen van een bevriend koppel. Hij reageert gelaten. 'Ha ja, ik ben met Patricia naar het voetbal gaan kijken'. Alsof dat de normaalste zaak van de wereld is. Door al die berichten te lezen, heb ik zeer veel leugens van Ignace opgespoord.

De laatste zes maanden waren één grote leugen. Hij zegt me dat hij een vergadering heeft in Kortrijk, maar op hetzelfde moment spreekt hij via sms'jes af met Miss Turnhout. Ik slaap niet, eet amper en zie de zin van dit leven niet meer zitten. Alleen Stéphanie houdt mij recht.

Vrijdag 25 april 2008

Mijn dochter zegt al weken dat het niet botert tussen Ignace en mij. Ik kan geen toneel blijven spelen en besluit haar morgen de waarheid mee te delen. Nog steeds hoop ik op een breuk tussen Ignace en Patricia.

Zaterdag 26 april 2008

Vandaag is een verscheurende dag. Ik wil Stéphanie zeggen hoe de vork in de steel zit, haar vader heeft een affaire met Patricia. Ik wil Stéphanie ervoor behoeden dat ze het smeuïge verhaal van derden hoort.

Ondertussen gaat het leven verschroeiend door. Op de agenda staat de finale van Leie Ambassadrice 2008 in de *Salons Mantovani* in Oudenaarde. Ignace is thuis al vroeg vertrokken om alles voor te bereiden samen met een Leiefeestcomité. Eerder deze week had ik al één van de leden van het comité op de hoogte gebracht van onze relationele moeilijkheden.

Ik heb hem meegedeeld dat er een bom zou ontploffen en dat ik daarom beter niet op de finale aanwezig zou zijn. Ik zie het niet zitten om steeds weer onder de mensen te komen en te doen alsof er niets aan de hand is. Toch ben ik thuis vertrokken om ter plaatse mijn werk te doen achter de schermen. Ik draai op automatische piloot. Ik begeleid de kandidates, vang familieleden op en coördineer de show. Straks verzorgt Stéphanie een deel van de presentatie, dat is al maanden geleden afgesproken. Ik wil mijn dochter aan het werk zien op het podium. Om 17u arriveer ik in Oudenaarde, ik parkeer mijn wagen op de parking van *Salons Mantovani*. Ik weet dat Patricia vanavond aanwezig is. Ze komt de zaal binnen met een air van 'Ik ben dé madam, ik ben het lief van Crombé'. Voor mij is dat de druppel die de emmer doet overlopen.

Vooraleer de show begint neem ik Stéphanie even bij de hand. 'Doe je presentatie van het vrij podium goed', zeg ik zacht. 'Stefke, kijk eens in de zaal. Die met haar blond haar. Dat is het nieuw lief van je vader. Ze is vijfentwintig jaar. Ik wil je het als eerste meedelen.' Stéphanie verstomd. Ze stapt meteen op Patricia af en vraagt haar om de zaal te verlaten. Dat weigert Patricia. Ze blijft heel de avond aan de eretafel zitten. Het is de hel voor mij. Zij zit daar de grote madam uit te hangen terwijl ik achter de schermen alles in goede banen leid.

De show verloopt prima en Stéphanie handelt haar presentatie perfect af.

Na de show stuurt ze haar vader een sms'je. 'Papa, vanaf nu zijt gij mijn papa niet meer. Je weet dat mama jou nog altijd graag ziet. Klootzak'. Ignace reageert niet en stuurt niets terug. Terwijl Ignace de show aan elkaar praat stuurt Patricia constant sms'jes naar zijn gsm die in zijn jas zit. Ik kan het niet laten om een berichtje te lezen: 'Ik wil je nu, morgen en voor altijd'. Na de show feliciteer ik Ignace. Nog steeds hoop ik dat het tussen goed komt.

's Nachts wordt Alicia Allaert gekroond tot Leie Ambassadrice 2008, maar dat ontsnapt mij. De show is afgelopen, ik doe zoals altijd: het materiaal verzamelen, opruimen en alles in onze bestelwagen stapelen. Zoals gewoonlijk na een show drinkt Ignace een glas met het aanwezige publiek. Patricia staat bij hem. Ik zoek wat kennissen op en evalueer de show. Plotseling verdwijnen Ignace en Patricia uit de zaal. Ik zoek hen en vind de twee uiteindelijk in de tuin verstopt achter een haag. Ze staan luidop te discussiëren. Ik stap op Patricia af en kan mijn woede niet beheersen. 'Weet je waar je mee bezig bent de laatste maanden?', vraag ik. Ze antwoord: 'Ja Miriam, het is nu zo. Wij gaan een koppel zijn. Maar wij zouden graag hebben dat jij nog blijft werken'. 'Wablief?', reageer ik verbaasd. 'Hebben jullie een scenario in jullie hoofd waarin ik blijf werken en doe alsof er niets aan de hand is? No way!'. Er volgt wederzijds geroep, ik stap het uiteindelijk af. Denkt zij nu echt dat ze de chef kan spelen van de zaak? Is dit het lokmiddel van Ignace om haar voor zich te winnen? Vergeten die twee dat ik de helft van het bedrijf bezit? Ik laat echt niet over mij heen rijden, wat moet ik nog allemaal meemaken en aanhoren...

Als ik terugkeer naar binnen zie ik naast de haag een mobilhome staan. 'Oei, als daar maar niemand in zit', zucht ik, 'Anders staat het gesprek volgende week in een weekblad'. Ik besluit naar huis af te zakken, We kruisen elkaar alle drie aan de uitgang van *Salons Mantovani*. Zij, hij en ik. Ignace wil Patricia ostentatief kussen. Ik gun niemand een blik en stap in mijn wagen. Ignace komt een kwartier later thuis. Ik vraag mij af wat die man hier nog doet? Waarom laat ik dat toe? Iets in mij zegt 'Geef hem een kans, hij heeft misschien al spijt'. Crombé slaapt in de logeerkamer.

Zondag 27 april 2008

Ignace vlucht halsoverkop het huis uit. Hij is opgebeld door het Leiefeestcomité. Deze morgen kwam dat comité tot de vaststelling dat er een fout is gemaakt bij de verwerking van de punten. Sophany Ramaen uit Menen krijgt het erelint en wordt Leie Ambassadrice 2008.
Stéphanie wordt wakker en neemt een ontbijt. Ze zegt dat ze geen woord meer wisselt met haar vader. Ze houdt woord.

114

Maandag 28 april 2008

Thuis escaleert alles. Het is een hel. Ignace blijft hier nog even wonen. 'Tot ik iets leuks vind', sneert hij. Ik was zijn kleren, kook voor hem en blijf mij inzetten voor ons bedrijf *Animô*. Ik weet niet waar ik de kracht vandaan haal. Ik heb voor mezelf uitgemaakt dat dit huwelijk definitief voorbij is, maar voor Stéphanie probeer ik de boel de komende weken leefbaar te houden.
Stéphanie wil niet met haar vader aan de eettafel zitten, bijgevolg kook ik twee keer, één keer voor Stéphanie en één keer voor Ignace.

Dinsdag 29 april 2008

Alles komt langzaam uit. Ik dacht dat de afspraakjes tussen Ignace en Patricia sporadisch waren. Zij woont tenslotte in Turnhout en dat ligt 150 kilometer van Bissegem. Maar via via kom ik te weten dat Patricia heel frequent bij een vriendin blijft overnachten in Kortrijk en Ignace dus vaak ontmoet.
Zodra ik het huis verliet, stuurde Ignace een bericht en vliegensvlug bezocht ze de bedrieger in ons huis. Ik mag er niet aan denken hoe vaak ze het hebben gedaan in ons bed.
Ik krijg plots een sms van Patricia,

'Beste Miriam, als je hem graag ziet, moet je ervoor gaan en hem niet kleineren, beschuldigen, geen liefde geven,... Ignace is een eerlijke, lieve man. Hij verdient liefde en geluk, net als jij! Ik wil niet tussen jullie in staan maar dan zal uw attitude tegenover hem drastisch moeten veranderen. Als je dit niet meer kan geven of hij wil het niet meer, dan moet je hem laten gaan. Je leeft tenslotte maar 1 x... Patricia.

De 25-jarige echtbreekster heeft het lef om mij de les te spellen.

Woensdag 30 april 2008

Ik probeer het thema echtscheiding aan te snijden, maar Ignace wil niet praten. Hij blijft mij en Stéphanie ook nu gijzelen en terroriseren. Ik wil zo snel mogelijk uit deze impasse geraken en een nieuw leven beginnen. Maar de machtswellusteling reageert laconiek: 'We hebben alle tijd Miriam'. Ik wil niet dat hij op twee paarden blijft wedden. Enerzijds bazuint hij rond dat hij met Patricia een leven wil opbouwen en anderzijds blijft hij hier slapen. De situatie wordt voor mij onhoudbaar.

Zaterdag 3 mei 2008

Ik werk wat door op kantoor. Tussen de dossiers ontdek ik een uitgeprinte mail van Patricia Govaerts aan Ignace Crombé. Nu besef ik hoe groot de chantage was van Govaerts. De tekst spreekt voor zichzelf.

Schat,

Vanaf onze eerste "echte" ontmoeting voelen wij ons tot elkaar aangetrokken. Het werd liefde en nu noemt het "houden van".
JIJ hebt DE liefde leren kennen en DIT zal ik niet zo vlug meer ervaren!
Dat wil ik trouwens ook niet.

Maar liefste, je voelt u nog niet klaar genoeg om apart te slapen (dus niet meer bij uw vrouw), je advocaat te raadplegen (hoe of wat), afstand te nemen,... Ik begrijp dit volkomen, begrijp me niet verkeerd hé. MAAR dat is niet meer goed genoeg voor mij!

Jij ziet me heel graag, dit weet ik ondertussen en ik wil helemaal niets opjagen want zo ben ik niet! MAAR als jij je niet klaar genoeg voelt om verdere regelingen te treffen dan hoef ik ook niet 100% klaar te staan voou u, begrijp je?

Je weet dat ik veel praat met mensen en dit heb ik over dit probleem ook gedaan. Iedereen vertelde me dat een getrouwde man NOOIT zou weggaan van zijn vrouw en zeker niet dat ze samen een zaak hebben opgebouwd... Dit deed me weer twijfelen, tja ben dan ook nog maar een jonge vrouw hé. En daarmee dat het mijn keuze is om afstand te nemen...

Ik ben zéker niet klaar voor een NIEUWE liefde want ik heb de laatste maanden toch weer veel meegemaakt! Maar ik ga proberen om toch terug te zingen zodat ik op die manier aandacht krijg :) , een verstandige man heeft mij dat overlaatst eens verteld...

Tijger, zal altijd klaar voor je blijven staan want je bent en blijft mijn allergrootste liefde! En als wij voor mekaar weggelegd zijn, dan komen wij elkaar zeker nog eens tegen!

Nu hoop ik niet dat wanneer je nog eens gezonde energie wilt voelen dat je dat gaat zoeken in een ANDER jong blaadje want dan pas voel ik mij echt bedrogen!!!

Ik zie je ongelooflijk graag!

Jouw KEPPE

xxx

Ik word niet goed bij het lezen van de mail. Deze zogezegde liefde is beredeneerd en zakelijk. En erger nog, een affaire beginnen met voorbedachte rade is ziek. Het is duidelijk dat Govaerts Crombé onder druk heeft gezet en gechanteerd heeft om zijn gezin te verlaten.

Zondag 11 mei 2008

Het is moederdag. Ignace staat op in de logeerkamer en komt naar beneden. 'Bloemen ga je niet nodig hebben zeker?', lacht hij. Ik reageer niet, daar heb ik de kracht niet voor.

Ignace praat over de scoutingreis naar Egypte, ter plaatse

wordt de reis van de Miss Belgian Beauty-finalistes voorbereid. Hij beweert dat hij alleen afreist, maar ik geloof hem niet. Ignace heeft mij al genoeg belogen. Hij verplicht mij om thuis te blijven om voor Stéphanie te zorgen. 'Als Stéphanie ziek wordt, is ze alleen', mompelt hij. De voorbije scoutingreisen heb ik mijn dochter met pijn in het hart verlaten. Op reis miste ik haar dagelijks. Maar de reis voorbereiden voor de kandidates is belangrijk en moet zorgvuldig worden voorbereid. Ignace kan dat niet alleen.

Mijn onzekerheid is ondraaglijk. Ik vraag aan Ignace of ik nu definitief plaats moet ruimen voor Patricia. Hij ontkent en zegt dat ze niet meegaat naar Egypte omdat ze geen verlof krijgt. Zelf heb ik nog steeds 1 % hoop dat onze relatie gered kan worden, maar dan mag die Patricia niet mee op mijn reis. Als Ignace echt met Patricia op scoutingsreis gaat, is het definitef gedaan. Om de waarheid te achterhalen besluit ik een beroep te doen op een detective. Ik wil weten waar ik aan toe ben, ik ben al een bedrogen vrouw, maar ik wil weten of de hoop die ik nog koester realistisch is.

Maandag 12 mei 2008

'Word wakker Miriam' zeggen mijn vriendinnen. 'Laat niet zo op je kop zitten en hoop niet meer op een nieuw begin. Verlaat die zak!'. Ik moet inderdaad handelen. Het is Ignace die van mij weg wil, hij wil scheiden, dus ik heb dringend bewijzen nodig dat hij degene is die initiatief neemt en ons huwelijk opblaast. Vriendinnen waarschuwen me dat hij niet te beroerd is om alle schuld op mij af te schuiven. Dat kan ik niet laten gebeuren.

Ik verzamel bewijzen, ik zoek de veelzeggende mails en de sms'jes op, en stop ze in een mapje. Zo probeer ik alles te reconstrueren, ik haal er ook mijn notities, de aantekeningen in mijn agenda, de boekhouding en de planning bij. Ik breng alles in kaart. 's Middags surf ik op internet op zoek naar detectivebureaus. Ik bel een detectivebureau, met de vraag of ik een detective kan ontmoeten. We maken een afspraak op donderdag 15 mei.

Dinsdag 13 mei 2008

Crombé vraagt mij om mee te gaan naar een meeting met twee sponsors van Miss Belgian Beauty. De sponsor van de juwelen is een sympathieke Indiër. Ignace is de Engelse taal niet zo machtig en om zich taalkundig wat in te dekken spant hij mij voor zijn kar. Ik doe het om toch maar dat sprankeltje hoop levendig te houden en hem terug te winnen. Maar beter zou ik zeggen: stik Crombé. Maar daar heb ik het lef niet voor.

Mijn vertaalsessie brengt geen zoden aan de dijk, Crombé negeert mij en pijnigt mij, hij wil geen contact met mij en wil over niets praten.

Ik wil nog wat detective spelen. Om 18u heeft Crombé een afspraak met Nico Mattan. Ignace wil nagaan of Nico's vrouw de kusttournee wil sponsoren. Sabrina heeft een hippe kledingszaak in Sint-Eloois-Winkel. Ondertussen doe ik inkopen. Bij de bakker stuur ik Ignace een sms met de vraag of hij een brood wil. Hij antwoordt niet. Ik bel hem op, maar de lijn is constant bezet. Als ik een uur later terugbel is de lijn nog steeds bezet. Ik bel naar Nico Mattan om te vragen of Ignace daar nog is, maar hij deelt mee dat hij al lang vertrokken is. Als Ignace thuis komt vraag ik hem waarom hij niet opnam. 'Ik was lang aan het bellen met Wendy Volders, één van de finalistes', antwoordt hij. Ik bel Wendy, ze heeft Crombé vandaag niet gehoord. Crombé liegt weer.

Ironisch genoeg maak ik nog steeds eten voor Crombé en doe ik nog steeds zijn was. Als we samen op bureau zitten belt hij zijn Patrica constant op. Ik zit daar dan bij als een echt kieken, ik begrijp niet wat ik allemaal toelaat om alles te redden. Ik ben uitgeput en leeg.

Donderdag 15 mei 2008

Crombé is al van 08u30 op pad, om 10u30 heeft hij in Wallonië een afspraak om er te praten over een groot Sinterklaasfeest. Om 10u staat mijn detective aan de deur. Ik wil duidelijkheid. Kan ik Crombé nog terugwinnen of niet? Dat hangt af van de intensiteit van de relatie tussen Crombé en Govaerts. Hoe vaak zien ze elkaar? Is het echt serieus tussen die twee? Is hun affaire gebaseerd op liefde of seks?

Ik wil Crombé twee weken laten volgen. Ik schrik van de prijs. Enkele honderden euro's per dag, dat is te veel. Ik laat Crombé daarom alleen de zaterdagnacht volgen in Zaventem, ik moet weten of hij alleen dan wel met Govaerts afreist. Alleen duidelijkheid zal mij wakker schudden, ik wil geconfronteerd worden met de harde realiteit. Alleen als hij mét Patricia Govaerts wegvliegt kan ik met ons huwelijk kappen. Dat is het ultieme bewijs dat hij echt resoluut voor haar kiest.

Zaterdag 17 mei 2008

Vanavond moet Stéphanie optreden in Sint-Bavo te Gent. Ze volgt al acht jaar declamatie en heeft zich gespecialiseerd in voordracht. Op de voorstelling laat ik mij vergezellen door mijn ouders. Stéphanie wil niet dat haar vader aanwezig is. 'Mijn vader moet niet naar mij komen luisteren', zegt ze. Ik vind het pijnlijk dat de relatie tussen Stéphanie en Ignace zo verwaterd is. Ze waren ooit zo close, zo dicht en ze zagen elkaar echt graag. Ik probeer Stéphanie al weken te doen inzien dat haar papa haar papa is en blijft. Hopelijk slijten haar negatieve reacties en sluit ze ooit haar papa weer in de armen.

Het optreden van Stéphanie was prachtig, ze straalde en stond als een straffe madam op dat podium. Even leek zij en ook ik alle beproevingen en narigheden te vergeten.

Ignace vertrekt deze nacht op prospectie naar Egypte. Om 02u staat hij op en zegt 'Zoetie, ik ben weg'. Hij geeft me een zoen. Zou hij dan toch alleen op reis gaan?

Zondag 18 mei 2008

Mijn detective doet zijn werk, hij belt mij op en geeft mee dat Crombé alleen op het vliegtuig is gestapt. Ik heb weer hoop. 's Avonds krijg ik een kort telefoontje van Ignace. Hij is goed geland, ik ben vriendelijk en wens hem veel plezier. Tot mijn verrassing krijg ik weer energie, zou hij tot inkeer gekomen zijn? Kiest hij dan toch voor zijn gezin?

Maandag 19 mei 2008

Om 10u staat mijn detective aan mijn voordeur, hij heeft de videobeelden gemonteerd. Ik krijg fragmenten te zien van Crombé aan de balie, Crombé die in het vliegtuig stapt en het vliegtuig dat opstijgt. Ik waan me even in een politieserie, maar ik ben ontzettend blij. Ik geef onze relatie nu 20 % kans op beterschap.

Toch wil ik 100 % zekerheid dat Crombe alleen in Egypte vertoeft. Daarom bel ik het bedrijf waar Patricia werkt. 'Ze heeft een weekje verlof', deelt een collega mee. Ik contacteer de moeder van Patricia en vraag of ik deze week Patricia en haar zanggroepje *Xanigy* kan boeken. Haar moeder antwoordt dat Patricia in Egypte vertoeft. Ik steiger en voel een beklemmende pijn in mijn hart. Ik bel meteen naar hotel *Sunrise Mamlouk Palace Resort* in Hurghada in Egypte en vraag of er een Patricia Govaerts geboekt is. Ik krijg meteen haar kamernummer door. Op hetzelfde ogenblik krijg ik een berichtje: 'Mooi hotel, prachtig ontbijtbuffet, veel werk hier'. Ik sms Crombé meteen terug: 'Veel werkgenot!'. Ik denk dat hij het nu begrepen heeft, hij beseft dat ik weet dat Patricia bij hem is. Voor mij is dit de spreekwoordelijke druppel, dit is de dolk in mijn hart. Ik heb hem honderd keer gevraagd of Govaerts meeging naar Egypte. En eergisteren zei hij nog 'zoetje, ik ben weg'. Stel je voor, Ignace die met zijn lief op reis is, terwijl hij daarvoor nooit tijd had om met mij op vakantie te gaan. Stop. Over and out. Ik heb genoeg op mijn kop laten zitten. Die breuk is niet meer te lijmen. Blijven proberen, blijven vergeven, blijven verdringen heeft geen zin meer. Er is te veel pijn veroorzaakt. Ik moet nu maar eens de feiten onder ogen gaan zien en eerlijk zijn met mezelf. Deze relatie is uit, over, weg, op, finished. Ik wil die man uit mijn leven en zo snel mogelijk scheiden. Er is te veel gebeurd, te veel leugens, te veel bedrog. Ik ben lang genoeg besluiteloos geweest, als een kieken zonder kop ben ik

121

er in blijven geloven. Dom en dwaas was ik. Tot vorige week had ik Crombé nog een kans gegeven om terug te komen, om samen terug te beginnen. Als hij volgende week op zijn knieën smekend vraagt om terug te komen, weiger ik dat. Ik heb zes maanden lang mijn eigen seksualiteit verdrongen, Crombé raakte mij niet meer aan, beschimpte en vernederde mij, maakte mij uit voor 'oud dik wijf' en 'nietsnut', gooide gsm's en een nietjesmachine naar mijn hoofd telkens ik probeerde te praten over onze relatie en was o zo egocentrisch en egoïstisch.

De confrontatie met de waarheid valt me zwaar. Ik laat mijn tranen de vrije loop. Nu pas ben ik ervan overtuigd dat Crombé zijn stommiteit niet inziet, dat hij al anderhalf jaar acteert. Hij is totaal onverschillig voor mij en Stéphanie. Ik heb nu een volle week om de echtscheiding goed voor te bereiden en concrete stappen te ondernemen. Vooraleer Crombé terug in het land is moet ik mij grondig informeren over een snelle en zakelijke scheiding. Ik bel naar vriendinnen en krijg het telefoonnummer van de beste advocaat in Kortrijk. Met hem maak ik een afspraak.

Dinsdag 20 mei 2008

Eindelijk kan ik mijn desillusie in Crombé en mijn kapotgeslagen huwelijk delen met een hartsvriendin. Sinds 13 oktober 2006 draag ik mijn pijn helemaal alleen. Ik heb veel te lang gewacht om te praten over mijn ellende. Fabienne vangt me op, geeft me raad en steunt me. 'Waarom heb je dat niet eerder gedeeld met mij', vraagt ze. 'Ik heb te lang gedacht dat het nog zou goedkomen', zucht ik. 'Daarom heb ik niets durven vertellen.' Het gesprek breekt mij helemaal open, ik huil en ween.
Fabienne raadt mij aan om meteen te scheiden. 'Stel het niet langer uit, je hebt genoeg op je kop laten zitten'. We spreken af om elkaar wekelijks te zien, Fabienne zal me steunen tijdens het hele echtscheidingsproces.

Woensdag 21 mei 2008

Ik heb een afspraak met mijn advocaat Gits en toon hem mijn

zelfgemaakt dossier. Ik geef een overzicht van de problematische gebeurtenissen. Na een onderhoud zegt mijn raadsman dat ik geen detective meer nodig heb. Ik heb voldoende
bewijzen om de echtscheiding in te zetten. Als Ignace terug
is uit Egypte wacht hem een brief van het advocatenbureau.
In die brief formuleert mijn advocaat dat hij duidelijk een
buitenechtelijke relatie heeft met Patricia Govaerts en dat
hij samen met haar op reis was in Egypte. Dat kan hij niet
betwisten. In die brief vraagt mijn raadsman om zo snel mogelijk rond de tafel te gaan zitten.

Ik doe er alles aan om de procedure netjes te laten verlopen.
Dat doe ik uit respect voor mezelf en voor Stéphanie. Ik had
al lang een gerechtsdeurwaarder op Ignace kunnen afsturen
en hem uit één of ander bed laten lichten.
's Avonds schenk ik een glas rode wijn in en kijk ik naar
televisie. Ik ben rustig, ik heb me de laatste maanden slechter gevoeld, alles valt van mij af, ik voel mij opgelucht en
energiek. Ik hef mijn glas op het zielige stel. 'Jullie zijn voor
elkaar gemaakt, soort zoekt soort', lach ik. 'Santé!'
Crombé is vaak genoeg over mij heen gelopen. Te lang heb
ik mijn nuchtere kijk op de breuk verdrongen. Ik ben geërgerd en verontwaardigd. Ik wil mijn huwelijk zo snel mogelijk los laten en respectvol scheiden om weer verder te
kunnen. Zonder ruzie, zonder wraakgevoelens. Hopelijk is
Ignace hiertoe in staat. Ik besluit àlles in handen te leggen
van mijn advocaat, zelf wens ik mij in het hele scheidings-
proces op de vlakte te houden. Samen met Stéphanie wil en
moet ik verder.

Vrijdag 23 mei 2008

De laatste dagen hebben Stéphanie en ik het naar onze zin.
Ik heb haar gisteren openlijk en eerlijk verteld dat ik een
advocaat heb ingeschakeld. Ook zij moet de scheiding leren
accepteren. Stéphanie zag de breuk al maanden aankomen
en steunt me. Ik probeer haar tijdens de komende scheiding
te steunen. Ik sta erop dat Stéphanie wanneer ze dat wil
haar vader mailt, belt, schrijft of bezoekt. Ik wil haar niets in
de weg leggen om het contact met Crombé te onderhouden.
Een kind heeft tenslotte één moeder en één vader.

's Middags krijg ik een telefoontje van een Story-redactrice. Ze vraagt of ze Ignace kan spreken. Ik deel haar mee dat Ignace momenteel in Egypte zit. De vrouw vraagt met wie? Ik zeg snel 'Alleen'. Ik voel dat Story op dit moment al weet dat Ignace met Patricia in Egypte vertoeft. Een paar uur later belt Jan Claeys van Het Nieuwsblad. Hij vraagt mij wat er allemaal gaande is en zegt dat hij veel geruchten opvangt. Ik probeer alles te camoufleren en opper dat er niets aan de hand is. 'Je kan Ignace bellen, hij zit momenteel in Egypte', zeg ik rustig.

Ik blijf rustig en smeer het nieuws niet uit in de pers, laat staan dat ik mijn woede en frustratie afreageer in de pers. Neen, ik wil een mooie serene scheiding tegemoet gaan, zonder smeuïge verhalen. Ik bescherm Crombé voor de netelige vragen van de pers.

In de late namiddag belt Story-hoofdredacteur Thomas Siffer op. Hij zegt: 'Miriam, we moeten eens praten'. Na de korte babbel maken we een afspraak voor volgende week dinsdag.

Zondag 25 mei 2008

Ik heb het hele weekend gehuild, alle frustraties en pijn heb ik uit mijn lichaam geweend. Ik heb angst voor de scheiding en de leegte die gepaard gaat met mijn jobverlies, maar ik besef dat ik geen zelfmedelijden mag hebben en positief moet denken.

Straks komt Ignace thuis. Van een grote verwelkoming is geen sprake. Stéphanie geeft niet thuis en ook ik beslis om hem niet te begroeten. *The show is over.* Als de garagepoort opengaat begint mijn hart harder te kloppen. Niet omdat de zielige man binnenkomt, maar omdat ik mij afvraag hoe hij zal reageren op de brief van de advocaat. Ignace stapt op ons toe en probeert een zoen te geven. Ik laat het toe, maar Stéphanie duwt haar vader categoriek weg. Ignace druipt af naar zijn bureau. Nu gaat het gebeuren. Even later stormt hij met de brief in de hand de woonkamer binnen. *'Ik ga jullie doodschieten'*, tiert hij en woedend loopt hij terug naar zijn bureau.

Ignace heeft nooit gedacht dat ik het recht in eigen handen zou nemen en naar een advocaat zou stappen. Hij meende lang dat ik alles zou slikken: de anonieme affaire met Illie en Patricia, de openlijke affaire met Patricia en nu zelfs de reis met zijn pitspoes. Hij dacht dat hij de scheiding zou kunnen inleiden. Dat hij nu maar eens goed tegen de muur loopt.
Omdat Stéphanie thuis is én om de rust te behouden blijf ik kalm en praat ik beheerst.
Crombé vraagt dat hij thuis mag slapen, ik laat het toe, maar dan wel in de logeerkamer. Voor de rest heb ik geen zin of interesse om naar zijn praatjes te luisteren.

Maandag 26 mei 2008

Vandaag staat er een foto-shoot met de 20 Miss Belgian Beauty-finalisten op het programma. Normaal ben ik altijd aanwezig om de meisjes bij te staan, te gidsen en wat te coachen, maar deze keer heeft Ignace me niet meegevraagd. Ik krijg een telefoontje van kapster Christine, een goede vriendin en een trouw sponsor van onze verkiezing. Ignace heeft aan de kandidates meegedeeld dat het niet goed gaat in zijn gezin. Hij wil duidelijk de indruk geven dat hij het slachtoffer is en ik de schuldige ben, de lafaard. Hij heeft er natuurlijk niet bij verteld dat er al sinds vorige zomer een meisje van 25 in het spel is.

Dinsdag 27 mei 2008

Huidig Miss Belgian Beauty 2007 Nele Somers wil niets meer te maken hebben met Crombé. Ze heeft sinds maart geen contact meer met hem, maar wil wel nog tot oktober 2008 het kroontje vertegenwoordigen. Nele eist dat de lopende contracten en afspraken enkel nog via mij gebeuren. Telefonisch meldt ze het volgende: 'Ik zou het nooit meer overdoen', zegt ze. 'Ik wil er van af Miriam, die Crombé is geen fijne man'.

Om 18u heb ik een afspraak met Thomas Siffer in de *Holiday Inn* aan het UZ in Gent. Siffer motiveert zijn artikelenreeks begin januari. 'Een Miss-organisator moet zijn manieren houden', oordeelt hij. 'We moesten dit brengen'. Hij komt terug op ons gesprek tijdens de Nacht van Exclusief op 12 april. Toen zei hij dat hij meer wist over de escapades van Ignace, maar dat hij ze niet heeft gepubliceerd uit respect voor Stéphanie en mezelf.

Ik kom veel te weten. Op het moment dat ik met Nele op de uitreiking van de Gouden Schoen in Oostende was - op woensdag 16 januari -, zat die echtbreekster Patricia in mijn huis! De hoofdredacteur vertelt me dat Ignace die avond afscheid nam aan haar wagen. 'Opmerkelijk was dat Ignace zijn pyjama al om 20u aanhad', zegt Siffer. Ik weet dat hij de waarheid spreekt, Ignace draagt altijd zijn pyjama op dat uur. Ja, Crombé heeft zo van die afwijkingen. Ik ben echt geschokt door het verhaal. Story weet al langer dan ik dat Ignace een affaire heeft! Ik rond het gesprek met de man af af, hij vraagt of ik een interview wil toestaan aan Story. Ik stel één voorwaarde, het moet sereen zijn in het belang van Stéphanie. We nemen afscheid en ik rij naar huis. Aan de afrit van Bissegem belt de Story-redactrice me op mijn gsm. Ze later er duidelijk geen gras over groeien. We spreken een dag en een uur af voor het interview. Als ik de oprit oprij staat Ignace voor de deur. Hij kijkt kwaad en uitdagend. Ik schakel in achteruit en probeer weg te rijden, de redactrice van Story hangt nog steeds aan de lijn. Ignace loopt naar mijn auto en opent het portier. Ik sla de deur dicht en rij hard weg om mijn gesprek rustig af te ronden. Het zijn taferelen uit *The War of The Roses*, de film met Michael Douglas en Kathleen Turner waarin een getrouwd koppel een echte vechtscheiding uitvecht. Mijn hart davert. Wat is dit nu weer. Wat denkt die Crombé wel. Hij is het die mijn leven terroriseert, hij wil scheiden. Het is inmiddels 20u, twee straten verder rond ik mijn gesprek met de Story redactrice af. Ik parkeer mijn wagen voor de garage en wandel ons huis binnen. 'Wat denk je wel', roep ik. Ik begin mijn scheldtirade. Dat verdient hij wel na al die ellendige jaren. Tijdens onze ruzie lopen we door het hele huis, hij schreeuwt, ik roep terug, hij brult, ik tier. Alle frustraties van het voorbije

126

jaar komen boven. 'Leugenaar, achterbakse bedrieger, zielepoot', gil ik. 'Je bent een dikke lelijke oude vrouw', krijst
hij. Hoe is het mogelijk dat hij zo'n dingen naar mijn hoofd
slingert. Ik sta al 24 jaar pal achter hem, ik heb deze man
verdedigd en goedgepraat, liefgehad en gekoesterd.

Ignace is in alle staten, hij trekt mijn schoenen uit, gooit
mijn gsm op de grond en pakt mij beet. We vechten, hij
duwt mij, ik duw terug, maar hij kan mij niet de baas. Ik ben
veel sterker dan hem. Ik schop Ignace in zijn kruis, als in
een western zakt hij op de grond en kruipt naar zijn bureau.
Ik bekom even van de situatie, Ignace probeert de buren te
roepen, 'Bertrand, Bertrand', schreeuwt hij. Maar Bertrand
slaapt en hoort Crombé niet. Daarna telefoneert hij met een
pijnlijke grimas naar Patricia. 'Bel alsjeblieft de politie,
stuur ze naar mij thuis, ik kan niet meer', hijgt hij. Na tien
minuten belt de politie aan en vraagt ons tot rust te komen.
De agenten nemen een verklaring af. Terwijl ik mijn relaas
doe komt Patricia mijn huis binnengestapt. Ze is hautain
en provoceert mij. We beginnen mekaar te duwen maar gelukkig halen de agenten ons snel uit elkaar. Ik beef en tril,
ik bel mijn moeder en vraag of ze me wil opvangen. Ik sta
hier helemaal alleen. Na 10 minuten staat mijn moeder aan
de deur, Ignace laat haar niet binnen. Gelukkig grijpt een
politie-agent in en begeleidt mijn moeder naar een zetel in
de living. Ignace krimpt in elkaar van de pijn. Hij toont zijn
geslacht aan de agenten als bewijs, in het verslag staat dat
die plek helemaal blauw ziet. Na de getuigenissen verlaten
Ignace en Patricia het huis. Ik weet niet waarheen en het
interesseert mij ook niet. Het is inmiddels 01u, mijn moeder praat op mij in stelt me gerust. 'Het ergste is voorbij',
reageert ze ontzet. Ik rij nog snel naar een pompstation om
sigaretten te kopen. Ik heb overal pijn. Ik neem enkele Da-
falgans en probeer wat te slapen.

Woensdag 28 mei 2008

Ik sta op met een dikke kaak en bel meteen naar mijn huis-
arts voor een dokterattest als bewijs van de slagen gisteren.
Ik breng Stéphanie niet op de hoogte van de echtelijke ruzie. Ik wil haar niet ongerust maken. De hele dag breng ik

door in het bureau, er is een hoop werk.

's Middags belt een journalist van Het Laatste Nieuws me op. Hij vraagt me wat er gisteren is gebeurd. Ik geraak in paniek en vraag aan de reporter waar hij het nieuws vandaan heeft. Blijkbaar van de buren of een lek op het politiekantoor. De politie heeft me gisteren nochtans op het hart gedrukt dat het om interfamiliaal geweld ging en dat de pers deze privé-zaak nooit op het spoor kon komen. Ikzelf hou de boot af en los niets aan de reporter, ik wil vermijden dat het morgen in de krant staat.

Ik probeer Ignace te bellen om hem in te lichten over het perslek. Hij neemt niet op. Ondertussen is mijn huisdokter aangekomen, ik ben ten einde raad en vertel hem wat er is gebeurd. Mijn arts raadt me aan om niet te reageren op de vragen van die pers. Maar de journalisten blijven bellen. Ik neem niet op, hopelijk belt Ignace snel terug om een plan te bespreken. Maar hij belt niet terug. Een andere journalist sms't mij, hij is hard en meedogenloos: 'Je moet reageren Miriam, anders maken we zelf een artikel.' Gelukkig komt Ignace thuis. Hij beslist te reageren en doet zijn verhaal aan de pers. Morgen komt dat in de pers! Ik ben er niet goed van.

Ik bel Nele Somers en vertel dat ik wil scheiden en doe mijn verhaal. Nele schrikt en is geschokt. Ik kan het thuis niet meer aan en rij naar een vriendin in Brugge. Om 20u zit ik bij mijn haarkapper *Xantippe* in Brugge en lucht mijn hart. Tijdens het gesprek krijg ik een sms van Alain, één van de sponsors van Miss Belgian Beauty.

Hoi Miriam, net bericht gekregen van Ignace...zijn zwaar onder de indruk, zonder jou zal het nooit meer hetzelfde zijn...en zonder jou zijn wij ook niet meer geïnteresseerd in een verdere samenwerking, weet dat wij je ENORM apprecieëren,de warmte die jij ons gaf vergeten wij nooit, lieve groetjes, Alain en Jef

Ik bel Alain meteen op, hij heeft een mail gekregen van Ignace. Crombé heeft naar heel zijn adressenbestand een mail

gestuurd. Zelf weet ik niets over de inhoud van de mail. Hij wil klaarblijkelijk de pers voor zijn en vooral de indruk geven dat de scheiding zijn keuze is.
Ik vraag Alain om de mail voor te lezen.

Beste,

Omdat u het morgen niet eerst in de pers zou moeten lezen, en wij vinden dat onze sponsors van Miss Belgian Beauty het recht hebben om vooraf geïnformeerd te worden, sturen wij u deze mail.

Miriam en ikzelf zullen na bijna 25 jaar huwelijk uit elkaar gaan omdat we beseffen dat we de voorbije jaren naast elkaar leefden en onze relatie aan het doodbloeden was. Zelf heb ik een nieuwe vriendin die mijn activiteiten reeds maanden op de voet volgt en met wie ik verder gelukkig wil zijn. In het leven van een doodgewone burger... een zaak die iedereen begrijpt en zo vaak voorkomt. Wanneer het Ignace Crombé betreft...stof voor de media.

Laat ons duidelijk zijn dat Miriam en ikzelf deze scheidingsprocedure op een correcte en serene manier willen afhandelen, uit respect voor elkaar en onze dochter. Miriam zal afstand doen van de organisatie Miss Belgian Beauty, maar gunt mij verder alle succes. Ik ben ze heel dankbaar voor al datgene wat ze in het verleden voor mij en mijn organisatie heeft gedaan. Wat nu gebeurt, is op puur menselijk vlak...zakelijk gaat alles met Animô en Miss Belgian Beauty gewoon verder.

Ik hield er ook aan om mijn 20 finalisten persoonlijk hiervan te verwittigen en heb ze hieromtrent in groep aangesproken. Ze hebben deze oprechte bekentenis geapprecieerd en beloofden achter ons beiden te blijven staan.

Dank voor uw begrip. Uw steun zal ons zeker ook helpen om deze moeilijke beslissing om te zetten in verdere levensvreugde voor ons beiden.

Tot binnenkort,

Vriendelijke groeten,

Ignace Crombé

Crombé schept de indruk dat hij de mail met mij samen heeft opgesteld. Maar dat is een leugen! De zin *'Miriam zal afstand doen van de organisatie Miss Belgian Beauty, maar gunt mij verder alle succes.'* treft mij recht in mijn hart. Ik word bedankt, gedumpt, afgedankt! Ik ben gedegouteerd door zijn tekst maar relativeer de hele zaak omdat ik de volgende zin onthoud: *'Laat ons duidelijk zijn dat Miriam en ikzelf deze scheidingsprocedure op een correcte en serene manier willen afhandelen, uit respect voor elkaar en onze dochter.'* Een propere scheiding is het allerbelangrijkste voor mij.

Donderdag 29 mei 2008

Voor de eerste keer komt het nieuws van de echtscheiding in alle kranten. Amper tien dagen nadat ik voor mezelf heb uitgemaakt dat ik niet meer met een leugen wil leven, weet heel Vlaanderen het. Het Nieuwsblad pakt op de frontpagina uit met de kop: 'Ignace Crombé gaat scheiden'. En ook Het Laatste Nieuws zet op pagina één 'Crombés uit elkaar'. Ik zit op mijn bureau en zie de voorbije jaren 25 jaren nog eens passeren. Hoe is het zover kunnen komen? Maar het is een uitgemaakte zaak, er is geen weg terug. Ik moet vooruit.

Om 09u58 ontvang ik op info@animobvba.be een mail van Dag Allemaal. Daarin staat letterlijk dat Ignace zijn nieuwe vriendin Patricia Govaerts exclusief in Dag Allemaal zal voorstellen, en dit binnen een redelijke termijn. Ik spreek Crombé daarop aan. 'Vind je dat nu echt nodig', reageer ik. 'Is het niet schandalig dat je dat doet, waar is het respect voor je gezin en vooral voor je dochter?' 'Ik wil eens positief in het nieuws komen', roept Crombé. Positief noemt hij dit, eerst zegt hij in een mail om de echtscheiding sereen af te handelen en nu wil hij pronken met zijn nieuwe vlam. Het schandelijke is dat Crombé nog steeds bij mij en Stéphanie woont, hij heeft zelfs de klasse niet om na alle laster en domme uitspraken ons alleen te laten.

Tegen de middag heb ik een afspraak met de Story redactrice in de Holliday Inn in Gent. Het wordt een sereen gesprek over mijn scheiding. Later op de dag komt de Story-fotograaf naar ons huis om foto's te nemen. Het enige commentaar van Crombé is: 'Moeten ze zoveel foto's van jou trekken, om dan uiteindelijk zo'n lelijke foto op de cover te zetten?'

Het is een helse dag voor Stéphanie, zij was niet op de hoogte van de rellen thuis en heeft het deze morgen alles in de krant moeten lezen. 'Bij een huiselijke ruzie ten huize Crombé moet de politie tussenbeide komen', luiden de krantenkoppen. Stéphanie is heel boos, begrijpelijk, ik heb gedacht dat we die huiselijke rellen uit de media konden houden.
Ik krijg veel steun via telefoontjes en sms'jes. 's Avonds herlees ik enkele van de berichtjes, ze brengen mij aan het huilen.

We wensen je veel sterkte in deze zware periode, je mag ons altijd bellen of je mag zeker langskomen, we staan volledig achter jou, dikke kusjes,
Rudy en Carry

Hoi lieve Miriam, ik ben al een hele dag aan het uitstellen om je een berichtje te sturen, ik weet niet goed wat ik moet zeggen, ik vind het erg dat het zover is moeten komen, hopelijk kunnen jij en Stéphanie dit snel een plaatsje geven, weet dat ik er altijd ben voor je, Martine

Beste Miriam, ik wens je veel sterkte en goede moed toe, hopelijk zien of horen we je nog, Myriam (Miss Belgian Beauty-finaliste 2008)

Lieve Miriam, veel sterke in deze moeilijke periode, hartelijke groeten, Kelly (Miss Belgian Beauty-finaliste 2008)

Hey Miriam, vreselijk hoe de dingen verlopen, ik ben in mijn gedachten bij jou, xxx Nele (Miss Belgian Beauty 2008)

Het geeft me een heel warm gevoel dat er nog mensen zijn die zo met je meeleven, het is een hart onder de riem. Misschien had ik veel sneller mijn emoties moeten ventileren bij vriendinnen.

Vrijdag 30 mei 2008

Om 08u verneem ik dat Ignace met een lekke band op de autosnelweg staat. Op Q-music lachen de bellers met hem, niemand wil stoppen om Mister Miss een handje te helpen. Ik zou ook voorbijrijden. Het lachen vergaat mij. 'Natuurlijk wil ik mijn nieuwe liefde voorstellen en wel zo snel mogelijk', lacht Crombé verliefd. Amper één dag na het bekendmaken van onze scheiding staat Crombé al in Het Laatste Nieuws om er met zijn nieuwe vriendin te pronken. 'Miss Mol wordt Miss Crombé' is de kop van het artikel in Het Laatste Nieuws. Dank je wel, meneer Crombé, heel tactvol en respectvol. Knap.

De ex-vriend van Patricia meldt in Story dat Patricia al meer dan een jaar een relatie heeft met Ignace. Dat is andere koek dan het verhaal dat Ignace de wereld wil doen laten geloven. Ik ben dus al een bedrogen en belogen vrouw van voor de Miss Belgian Beauty Kusttoernee. Al mijn vermoedens klopten. De redactrice van Story stuurt het interview ter inzage door. Crombé eist dat hij het interview mag lezen. Om de lieve vrede in huis te bewaren, laat ik hem het uitgetikte interview zien. Ik wil immers een rustige echtscheiding in het belang van Stéphanie.

Ik krijg een berichtje van ex Miss Belgian Beauty 2000 Caroline Ex:
Kan mij voorstellen dat het moeilijk is, het is zoveel ineens, maar ik ben er echt heel zeker van lieve Miriam dat jij hier sterker uitkomt. Al zou het gezien de situatie geen slecht plan zijn om de eerste periode door te komen met wat hulp van de dokter, zodat je tenminste rustig kunt slapen, je hebt overdag tijd genoeg om te piekeren, maar je hebt je rust nodig 's nachts, anders gaat je gezondheid er onder lijden, praat er eens over met je dokter, want 's nachts lijkt alles nog veel erger. Jij gaat hier echt goed uit-

132

komen, geloof me nu maar, x

Zaterdag 31 mei 2008

Ignace laat weten dat hij een huurappartement zoekt. Aanvankelijk wilde hij een huis kopen, maar zolang hij niet gescheiden is kan hij dat financieel niet opbrengen. Begin juni verlaat hij definitief het huis, ik ben opgelucht. Hoe sneller, hoe liever. Geen enkele vrouw zou toestaan wat ik toesta.
Naar aanleiding van de uitlatingen van Ignace in de kranten krijg ik tientallen telefoontjes van vrienden en kennissen die met mij te doen hebben. Het is hartverwarmend dat mensen blijk geven van hun vriendschap. Ook de tientallen sms'jes sterken mij. Ik noteer er enkele in in mijn agenda.

Hoe hard het wellicht ook voor jou is, hopelijk is dit het begin van een mooier hoofdstuk in het leven van jou en Stéphanie, jullie hebben jullie deel wel gehad! Kop op, Dieter

Hoi, Miriam, je hebt hier waarschijnlijk geen boodschap aan, maar je verdient niet wat er allemaal gebeurt, voor jou heb ik steeds respect gehad, het beste, Pieter

Ik vind het heel erg voor jullie, als je wil praten of als ik iets kan doen voor jou, zal altijd voor je klaar staan, je mag me altijd bellen of we spreken af, heb al veel aan jou gedacht, Hilde

Zondag 1 juni 2008

Ook vandaag strek ik mij op aan telefoontjes en berichtjes. Een paar tekstjes schrijf ik op een post-itje.

Je zal dit zeker te boven komen Miriam, jou valt niets te verwijten, dat je dat maar weet, je hebt je altijd voor 100% gegeven en het is niet altijd gemakkelijk geweest. Vind het heel erg dat dit jou overkomt, je weet dat je altijd welkom bent, als je wil bellen, gelijk wanneer, weet dat ik er ben voor jou, dikke kus, Stefanie

Maandag 2 juni 2008

Ik krijg een sms'je van mijn dochter Stéphanie.

Mama, je kan het wel, sta op je strepen, wij zijn met twee, X Stépahnie

Dinsdag 3 juni 2008

Mijn interview staat vandaag in het weekblad Story. Jarenlang heb ik mij heel bewust uit de schijnwerpers gehouden. Nu, na alle dwaze ego-verhalen van Crombé laat ik mijn klok luiden. Op de duur denken de mensen dat ik een seut ben die op haar kop laat zitten en de oorzaak ben van de mediastorm. Het is tijd om eindelijk mijn andere kant te laten zien. Maar in het artikel heb ik bewust op mijn tong gebeten, ik wilde niet uitpakken met àlle verhalen en àlle intriges. Ik heb aangedrongen op een gematigd en vreedzaam gesprek en dat is het ook geworden. Aan de redactrice heb ik verteld dat ik mij een gebroken vrouw voel en diep ontgoocheld ben in Crombé. Het valt mij ook nog altijd moeilijk om onder één dak te wonen met de man die mij heeft bedrogen en mij wil verlaten.

Ik heb Story voor mij liggen en lees het artikel. In het stuk vraag ik mij af of ik fouten heb gemaakt. 'Misschien was ik er te weinig voor Ignace', zeg ik. Nog steeds kamp ik met een groot schuldgevoel. Als ik dat nu zo zwart op wit lees, vind ik niet dat ik mij iets moet verwijten. Ik antwoord zeer diplomatisch op de vragen en blijf Crombé — als organisator – verdedigen. Maar op de vraag of ik hem alles wil vergeven zeg ik toch dat al mijn hoop is verdwenen en dat ik hem nooit meer terug wil. Ik heb alles geprobeerd om onze relatie terug op de rails te krijgen. Maar *trop c'est trop*.

De sms'jes lopen binnen.

Hey Miriam, ik wil je laten weten dat ik met je meeleef, ik hoop voor u dat alles op zijn poten valt, ik vind het erg voor u en Stéphanie, veel sterkte, Cynthia

Ignace slaapt nog steeds in ons huis. Ik dring al weken aan op zijn verhuis, hij belooft al even lang om iets te zoeken. Intussen slaapt hij in de logeerkamer. Ik begrijp niet waarom hij hier blijft, wil hij dan niet elke nacht bij zijn liefje vertoeven? Vorige nacht kwam hij laat thuis, hij viel mij zelfs weer lastig in mijn slaap, hij riep en maakte mij wakker. Dat pestgedrag ben ik beu, ik besluit alle sloten op de deuren te vernieuwen. Ik begin met een slot aan te brengen in mijn slaapkamer, zo komt hij er niet meer in.

Woensdag 4 juni 2008

Ik krijg veel reacties op mijn interview in Story.

Je bent een superdame en bel me als het niet gaat. Alain

Ik vond het artikel in Story heel mooi. Je bent een grote klassemadam, bravo. Nummer onbekend

Heel mooi interview, je bent heel moedig en een sterke vrouw! Inge

Donderdag 5 juni 2008

Ook vandaag trek ik mij op aan de berichtjes die ik krijg toegestuurd naar aanleiding van mijn interview in Story.

Ik hoop dat je samen met Stéphanie en al wie jou lief heeft een mooiere toekomst tegemoet gaat. Hoe dan ook zal er eerst nog een zware tijd aan vooraf gaan. Weet dat ik er steeds voor je wil zijn op elk moment dat je er behoefte aan hebt... het moet niet veel zijn om een avond toch een beetje aangenaam te maken... met of zonder Sara op tv, snoepjes,.. Liefs Caroline

Miriam, zopas de Story gelezen, ik vind het een heel goed interview, heel voornaam en discreet en dit typeert jou, groetjes, Christine

Dag Miriam, hoe heb je het gesteld, ik hoop dat je kan bereiken wat je in gedachten hebt, veel sterkte, ik geloof

in je, je bent een vrouw met het hart op de juiste plaats,
Pascale

Beste Miriam, ik wens je alle sterkte toe en wil je toch nog
even persoonlijk bedanken voor de fijne babbel en mo-
menten tijdens de verkiezing, hopelijk tot nog eens en als
ik iets voor je kan doen, je hebt mijn nummer, groetjes, x
Evi (Miss Belgian Beauty-finaliste 2008)

Vrijdag 6 juni 2008

In Het Laatste Nieuws schrijft Hilde Sabbe een open brief
aan mij. De brief raakt mij diep en ontroert me. Eén brief
doet evenveel als 10 boeken lezen over relatiebreuken
en echtscheidingen. Ik besluit de brief van Hilde in mijn
agenda te kleven om het telkens te herlezen wanneer ik het
moeilijk heb.

Open brief aan Miriam Crombé,

Het beste moet nog komen

Beste Miriam,

Vergeef mij mijn vrijmoedigheid om mij zo publiekelijk
tot u te richten, maar ik kon niet langer ongevoelig blijven
voor uw leed. Op het eerste gezicht mag het wat triviaal
lijken in vergelijking met het lot van de mensen in Myan-
mar, China of Congo, maar dat is maar schijn. Wie het
hartverscheurende interview met u in het weekblad Story
heeft gelezen, weet dat er geen gradaties zijn in menselijk
leed.

Verlaten worden voor een vrouw die 25 jaar jonger is, het
is geen pretje, maar het hoeft nu ook niet het einde van de
wereld te zijn. Kijkt u eens naar wat u gewonnen hebt in
plaats van wat u kwijt bent. Gemoedsrust bijvoorbeeld. U
hoeft niet langer bang te zijn dat uw man een passie opvat
voor elke jonge vrouw die in zijn buurt komt, u hoeft niet
langer te vrezen dat hij zich onvolwassen, onprofessioneel
en ronduit dom zal gedragen: u wéét dat het zo is. Geen

vernederende persconferenties meer waarbij u lijdzaam moet toezien, geen gefluister achter uw rug: wat de heer Crombé uitspookt, gaat u niet langer aan. Heerlijk toch?

'Mij leven is een ravage', verklaart u in het interview. Met alle respect: vergist u zich niet van bezittelijk voornaam-woord? Zijn leven is een ravage, al beseft hij dat misschien nog niet. Per slot van rekening bent u al meer dan twintig jaar lang de stille kracht achter Miss Belgian Beauty. Ter-wijl Ignace het druk had met de kandidaten mailsgewijs het hof te maken, verzorgde u de boekhouding en bood u als perfecte psychologe de kandidaten een luisterend oor. (Wat uw ex hen bood, zullen we hier maar buiten be-schouwing laten, kwestie van geen oude wonden open te rijten.)

Zal ik u eens wat voorspellen? Als u niet langer meedoet, zal het gauw afgelopen zijn met de Miss BB-verkiezingen. Zeg nu zelf: welke ouder laat zijn dochter nu nog met ge-rust gemoed in bikini of zelfs avondjurk paraderen voor uw ex? 'Het contact met de finalisten en missen was echt mijn ding', laat u optekenen. 'Die meisjes vertellen vlug-ger iets tegen mij dan tegen Ignace.' Tegen wie moeten de toekomstige kandidates nu hun hart uitstorten? Tegen Miss Mol? Sta mij toe dat ik daar even hartelijk om lach. Ongetwijfeld beschikt de dame in kwestie over en aan-tal, euh, visuele troeven, zullen we maar zeggen, maar of psychologisch doorzicht daar één van is, durf ik te be-twijfelen.

Maar wat me eigenlijk het meeste verontrust, is uw uit-lating: 'Misschien was ik er niet genoeg voor Ignace op de momenten dat ik er moest zijn.' Pardon? Normaal ge-sproken ben ik een groot voorstander van de uitdrukking 'waar twee ruziën, hebben twee schuld', maar in dit ge-val wil ik toch even een uitzondering maken. Mannen als Ignace – d.w.z. onverbeterlijke vrouwenversierders – zijn niet te redden, zelfs niet met 24uurs bewaking. Ze blijven hun hele leven steken op het niveau van een tien-jarige die niet rust voor hij elk nieuw speeltje in het uitstalraam heeft gehad. Zelfs al mocht u zich als een soort taaie *klimop rond hem gewikkeld hebben: aan de aard van het beestje verandert dat niks. Houd op met uzelf de schuld te geven. Zorg in de plaats daarvan dat u bij de scheiding een fatsoenlijke regeling uit de brand sleept. Vaak vind ik vrouwen die hun ex pluimen regelrechte bloedzuigers, maar in deze ligt het anders. U heeft een belangrijk aandeel gehad in zijn carrière: waarom zou u daar dan nu niet de vruchten van plukken? Spendeer dat heerlijke geld. Aan nieuwe kleren, een deugddoende tropische vakantie, een weekje kuuroord met uw dochter. En zet er dan een streep onder.*

Laatste advies: blijf niet hangen in zelfmedelijden. Ik begrijp heel goed dat u boos bent, én verdrietig, én teleurgesteld. Sla maar eens goed met uw vuist op tafel, en huil maar eens stevig uit. En begin daarna aan het tweede deel uw leven. Professioneel kan u met al uw ervaring nog alle kanten uit, en niet àlle mannen lopen als hijgende hondjes achter missen aan. Geloof me vrij, het beste moet nog komen: een toekomst zonder Ignace. Geniet ervan.

Hilde Sabbe

Ik krijg massa's berichtjes, allemaal met dezelfde boodschap. Ik geef eentje mee van Yoeri.

Hou je goed hé meid! Iedereen staat aan jou kant hoor. Hoor echt niets anders. Yoeri

Zaterdag 7 juni 2008

Ik krijg sms'jes en reageer telkens kort.

Beste Miriam, via deze weg wil ik je veel sterkte wensen, weet één ding, jij was de sterke schakel, de oprechte sympathieke helft, en degene waarvoor wij steeds naar Miss Belgian Beauty kwamen, hou je goed en mocht er iets zijn wat ik kan doen, laat maar weten, hopelijk tot binnenkort, X Britt

Ik laat mijn tranen de vrije loop.

Zondag 8 juni 2008

Samen met Nele Somers ben ik uitgenodigd op de jaarmarkt in Bissegem. Nele geeft er een acte de présence en voor mij is het de eerste keer dat ik mij sinds lang onder de mensen begeef. Crombé is de grote afwezige, hij durft niet op straat komen. De reacties van de mensen zijn unaniem hartverwarmend. Maar het geeft mij een dubbel gevoel, ik krijg steun, maar het had nooit zo ver moeten komen. Ondanks de positieve reacties is er ook veel geroddel en gezeur. Ik begrijp nog steeds niet waarom we die lawine van negatieve persartikelen niet hebben kunnen tegenhouden.

Dinsdag 10 juni 2008

Ignace werkt nog steeds in huis. Soms slaapt hij in de logeerkamer, bij vrienden of met Patricia ergens in hotel. Hij zegt niets en blijft mij negeren. Nooit vraagt hij hoe het met mij of Stéphanie is. Deze situatie wordt voor mij echt onhoudbaar, maar voor de lieve vrede van de scheiding straks, zwijg ik.

Vandaag staan Ignace en Patricia op de cover van Dag Allemaal met hun 'eerste gesprek'. 'De vlam van Crombé', met een volledige foto-shoot. Daarin heeft hij zijn nieuw lief voorgesteld aan Vlaanderen. Alweer een goede timing van Crombé, Stéphanie zit midden in haar examens en Crombé komt nu met zo'n artikel, amper 12 dagen nadat we officieel uit elkaar zijn. Is er dan niemand die daar eens aan wil denken? Crombé niet en ook de pers maakt die bedenking niet en houdt alleen met de commerciele waarde van de primeur rekening.

Vorige week hebben Crombé en ik afgesproken dat we alle interviews nalezen voor publicatie. Voor dit interview is dat niet gebeurd. De reportage vind ik verschrikkelijk. Een week nadat je besluit je vrouw te verlaten, sta je al met je nieuw lief in de boekjes. Maar Ignace vond het hoog tijd dat hij ook eens positief in de pers kwam na al die negatieve berichtgeving. Blijkbaar gelooft hij dat dit positief nieuws is. De reacties die ik krijg zijn alleszins niet positief.

In P-magazine neemt Nele Somers in een interview geen blad voor de mond. Ignace wordt in het interview als een ijdele onrespectvolle narcist omschreven. 'Iemand die verkiezingen organiseert kan onmogelijk zo dicht bij zijn kandidaten staan. Zo verlies je je geloofwaardigheid', stelt Nele.

En ook in Story geeft Nele geeft haar kijk op de zaak Crombé. 'Ik schaam me diep dat ik zijn Miss ben', zegt ze. Nooit eerder heeft een Miss zo fel gereageerd tegen een organisator.

Ik hoopte dat de soap zou stoppen, maar nu vrees ik dat de soap pas is gestart. Ik heb echt angst dat organisatoren, kandidates, vrienden en bekenden zich van hem zullen afkeren.

Woensdag 11 juni 2008

Op Facebook van Stéphanie staat al enkele dagen dat Stéphanie 'het even niet meer zag zitten'. Alle media-aandacht wordt haar te veel. Voor haar examens treint ze elke dag naar Gent, de confrontatie met artikels op de covers van kranten en weekbladen doen haar veel verdriet.

Vandaag neemt het blad TV Familie haar notities van Facebook integraal over. Stéphanie is onthutst. 'Mammie, ik wil niet hebben dat de mensen denken dat ik een depressief mens ben, ik wil erop reageren', zegt ze. Stéphanie had liever niet gereageerd, maar om nog meer roddels en gedoe te voorkomen wil ze een soort recht op antwoord. Ik bel redacteur Hans Luyten van TV Familie en even later staat Stéphanie telefonisch een interview toe. Het gesprekje verschijnt volgende week.

Ik lees nogmaals het artikel van Hilde Sabbe alvorens ik slapen ga. De column geeft me kracht om door te gaan.

Zaterdag 14 juni 2008

Ik koop de weekendkranten. Ook de krant De Morgen spaart Ignace niet. Hij krijgt de prijs van *rotzak van het jaar* omdat hij al twee weken na de scheiding in Dag Allemaal stond in een fotoreportage met Patricia om te zeggen hoe gelukkig hij nu is en hoe jammer hij het vindt voor mij.

Dinsdag 17 juni 2008

In Story verschijnt dat Crombé zich met zijn lief laat inhuren voor € 625,00 exlusief btw. Op een banale manier probeert hij munt te slaan uit de scheidingsperikelen.
Vrienden vragen mij of Crombé nu helemaal het noorden kwijt is, wie laat zich nu inhuren voor € 625,00 om ergens op een acte de présence met zich te laten spotten. Ik begrijp de recaties. Wat is het volgende dat Crombé zal doen ? Een plaatje uitbrengen met de titel 'ik heb eindelijk een groen blaadje'?

Woensdag 18 juni 2008

In TV Familie staat het interview met Stéphanie. Op de cover staat 'Exclusief gesprek, Ignace Crombé verliest dochter, vader bestaat voor mij niet meer'. In het artikel zegt Stéphanie voor de eerste keer publiekelijk dat haar vader '*degoutant*' doet en dat ze haar vader niet meer nodig heeft. Ze is nog steeds gekrenkt dat hij voor Patricia koos en alles openlijk in de pers gooit. 'Mijn vader is 51 jaar. Zijn vriendin is 25. Ik vind dat *degoutant*. Ik ben 15 jaar en ben al blij dat hij niemand van mijn klas heeft uitgekozen'.

Verder geeft ze mee dat ze veel steun heeft van haar vrienden op internaat. 'Ik praat al een maand niet meer met mijn vader, ik heb hem niets te vertellen. Mijn vader zegt dat hij de echtscheiding in gang heeft geschoten, dat klopt niet. Mijn moeder heeft dat gedaan en ik heb haar daarbij geholpen. Ze weet dat ze mijn zegen heeft'. Stéphanie geeft mee dat ze geen begrip heeft voor haar vader: 'Ik wil hem op dit moment zeker niet meer zien of horen. Mama en ik gaan een nieuw leven opbouwen en samen leuke dingen doen. We hebben hem niet meer nodig.'

Het gesprek in TV Familie is het relaas van een jong meisje dat onbevlogen meegeeft wat ze voelt en denkt. Toen Stéphanie vorige week een telefonisch interview gaf aan TV

141

Familie was ik niet in de buurt. Ik heb haar zelf haar emoties laten uiten. Stéphanie heeft het al maanden moeilijk omdat de hele vechtscheiding en de verhalen uitgebreid en aangedikt in de pers komen. Ze wil geen kind van de rekening worden en hoopt dat haar vader stopt met alles uit te spelen in de pers. Ik hoop dat Crombé tenminste daarin zijn dochter wil sparen.

Vrijdag 20 juni 2008

Vandaag is een nieuwe D-Day in mijn leven. Eindelijk verhuist Crombé, hij stopt zijn kleding in plastic zakken en kartonnen dozen, laadt drie keer zijn bestelwagen in en rijdt evenveel keer weg en weer naar zijn gehuurd appartement. Patricia wil komen helpen, maar ik weiger. Ik wil geen cinema meer! Ik blijf toekijken en waak erover dat Crombé geen spullen van mij meeneemt. Crombé neemt de drie computers, de laptop, de printers, een kopieermachine en enkele bureaustoelen mee. Hij laat geen enkele computer achter voor mij. Ik ben volledig afgesneden van de buitenwereld, maar ik blijf kalm en denk maar aan één ding: over enkele ogenblikken begint mijn nieuw leven. Zijn verhuis kan me niet snel genoeg gaan.

Zaterdag 21 juni 2008

Ik woon al 24 uur alleen. Sinds Crombé is verhuisd ben ik zo blij als een kind! Ik voel mij echt verlost. Ik heb nooit gedacht dat het zo goed zou aanvoelen. Ik kon al lang niet meer leven met een man die mij constant bedroog. Wat heb ik mij het voorbije anderhalf jaar belachelijk gedragen, ik had meteen moeten zeggen: 'Crombé buiten!'

Ik moet meer onder de mensen komen om de eenzaamheid te doorbreken.Vanavond ga ik eten met vrienden, ze hebben goed op me ingepraat, ik voel me goed. Maar ik besef dat ik veel *ups en downs* zal hebben.

Zondag 22 juni 2008

De weekendeditie van Het Nieuwsblad kopt dat Ignace het echtelijk huis heeft verlaten en in een duplexappartement in Stassegem gaat wonen. De krant is er snel bij. Crombé heeft nu wat hij wil: een jonge dame. Ik wens hem succes, maar ik wil hem nooit meer zien.

Het weekend thuis met Stéphanie was leuk, we zijn goed op weg om de huwelijksbreuk te verwerken. We praten veel en groeien naar elkaar toe, ik ben een gelukkige moeder. Ik pieker wel veel. Zal het ooit makkelijk zijn om een nieuwe man toe te laten in mijn leven? Ik weet het niet. Crombé was tenslotte 25 jaar lang de enige man in mijn leven. Mijn gouden jaren zijn natuurlijk voorbij, maar ik ben geen vrouw die alleen door het leven wil. Ik zal ooit wel een leuke partner vinden, ik laat alles op mij afkomen.

Zonder computer voel ik mij afgesloten van alles en iedereen. Gek dat je zo afhankelijk bent van een stukje techniek. Karolien, en goede vriendin schenkt mij haar laptop, ik kan kan terug communiceren. Toen Crombé verhuisd was, probeerden heel wat mensen me te bereiken via e-mail, maar al die mails kon Crombé lezen. Nu heb ik een mail verstuurd naar mijn volledige adresboek met mijn nieuwe gegevens: mijn gsm-nummer en mijn e-mailadres.

Maandag 23 juni 2008

Ik krijg de weerbots van het maandenlange vechten. Daarom ga ik op aanraden van Christine van kapsalon *Xantippe* op bezoek bij een kaartlegster. Emotioneel zit ik op mijn tandvlees, Christine vindt dat een goede reden om te rade te gaan bij een kaartlegster. Ik heb nog nooit eerder beroep gedaan op kaartlegsters, waarzeggers of helderzienden en ben op mijn hoede wanneer ik aanbel. De vrouw achter het tafeltje kent mij niet zegt ze. Wat ze zegt is gelukkig allemaal positief. Zo oordeelt ze dat ik het relationeel lastig heb. De kaartlegster deelt ook mee dat ik in mijn huis mag blijven wonen en dat mijn dochter een goede vriendin blijft. Het ergste nieuws houdt ze voor het einde. 'Hij zal nog willen terugkeren', zegt de kaartlegster. 'Neen, laat het uit, ik denk dat mijn ex-man het ook niet wil', lach ik. Verder voorspelt ze dat ik midden 2009 een lieve man zal leren kennen en heel gelukkig wordt. Ik stap buiten met een goed gevoel. Ik zou ook eens naar een paragnost moeten gaan.

Dinsdag 24 juni 2008

In Dag Allemaal vertelt Ignace nog eens dat hij samen met Patricia te boeken is als acte de présence. Intussen lopen de examens van Stéphanie ten einde. Ik rij haar dagelijks naar school in Gent, pik haar op en zorg dat haar favoriete maaltijd op tafel staat. Crombé heeft geen enkele keer contact opgenomen om te vragen hoe de examens verlopen. Stéphanie legt goede examens af, ik ben echt fier op haar, sterk dat ze in deze moeilijke tijd zo goed presteert.

Woensdag 25 juni 2008

Het is mooi weer. Als ik mijn oprit oprij, roept mijn buurvrouw Janine mij bij zich. 'Hoe gaat het?', vraagt ze. 'Niet zo goed, je weet wat er allemaal is gebeurd', vertel ik haar. Na een tijdje vertelt ze dat Patricia Govaerts het voorbije jaar heel wat nachten in ons huis heeft doorgebracht. Ook al is het oud nieuws en doet het er allemaal niet meer toe, het nieuws doet me nog altijd pijn. Nu besef ik waarom hij in november 2007 niet mee wilde met zijn gezin naar Londen. Die Govaerts heeft in ons bed geslapen toen ik tijdens de Kusttoernee in *Hotel José* bleef slapen. Crombé heeft het allemaal goed uitgekiend.

Vrijdag 27 juni 2008

Vandaag krijgt Stéphanie haar rapport. Ik breng haar naar school en even later rijden we samen naar Bissegem. Haar rapport is goed. Hoe heeft dat kind in godsnaam al die miserie uit haar hoofd kunnen zetten om die cursussen te blokken? Respect hoor! 's Middags krijgt Stéphanie bezoek van een goede vriendin die blijft slapen. Straks gaat het duo flink uit de bol om het einde van het schooljaar te vieren.

144

Het is hen gegund.

Op kantoor wil ik enkele rekeningen betalen via internet. Ik schrik, Crombé heeft onze privérekening leeggehaald. Er staat niets meer op. Ik kan niets meer betalen, ook geld afhalen om morgen inkopen te doen in een grootwarenhuis lukt me niet. Ik weiger Crombé te bellen, maar vind het schandelijk. Ik wil met die man geen contact meer. Ik breng mijn advocaat op de hoogte.

Even later bel ik mijn mama op en doe mijn hallucinant verhaal. Ze schrijft € 2.000,00 over op een nieuwe rekening die ik speciaal open bij de bank. Mijn zus Petra leent me ook nog eens € 2.000,00. Even later neem ik mijn besluit: alle sloten moeten nu veranderd worden. Ik bel een slotenmaker en laat nieuwe sloten installeren in de voordeur en de deur van ons bureau. Crombé heeft al meermaals herhaald dat hij het bedrijf wil verderzetten en ook de Miss Belgian Beauty-verkiezing wil leiden. Ik wil hem – ondanks het feit dat ik 50 % van het bedrijf bezit – niet boycotten en zo snel mogelijk de draad opnemen met een nieuw leven. Ik hoop dat hij de klasse heeft om ons vooral met rust te laten.

's Avonds mailt Crombé met de vraag hoe de examens zijn geweest. Stéphanie heeft mij gevraagd om het hem niet te vertellen. 'Hij moet het maar in de boekjes lezen', zegt Stéphanie inspelend op zijn manier van communiceren. Voor haar leeftijd is ze zeer intelligent.

Zondag 29 juni 2008

Deze avond ga ik iets eten met mijn zussen Ciska en Petra en hun mannen in Roeselare. Ook Anouk, de dochter van Ciska en Stéphanie gaan mee. Het is een geestige avond. Ook nu komen de waarheden boven, het blijkt dat niemand ooit echt pro Ignace is geweest.

Maandag 30 juni 2008

Vorige zaterdag waren Ignace en Patricia aanwezig op de Nederlandstalige versie van de musical *Fame*. Vandaag krijgt

145

het stel een vrije tribune in de kranten. Ik vind het bizar dat die man nog wordt uitgenodigd en overal ongezouten zijn eenzijdig statement kan doen. En sterker nog, vroeger wilde Ignace nooit naar een musical gaan, hij haatte musicals.

Morgen worden we verwacht op de voorstelling van de peters en de meters van de Miss Belgian Beauty-verkiezing in oktober. Ik nodig Stéphanie uit om te gaan shoppen in Gent, samen zoeken we een mooi kleedje dat ze morgen kan aandoen. Stéphanie heeft het verdiend.

Dinsdag 1 juli 2008

Ik maak mij op om de peter – en metervoorstelling bij te wonen in *Hotel Serwir* te Sint-Niklaas. Samen met mijn dochter Stéphanie en Nele Somers wil ik genieten van een middagje uit. Het is de enige manier om alle ellende een beetje te vergeten. Ik besef dat 'het mediakoppel' er zal zijn, maar het is ook mijn organisatie, mijn verdienste van jaren inzet. Ignace had al verschillende keren laten weten dat hij ons niet wilde zien. Huidig MBB Nele Somers is ook niet welkom. Maar ik wil niet langer weggeduwd en verstopt worden door het grillige 'stel'. Wat denken zij eigenlijk, ik ben nog voor de helft eigenaar van MBB en ik weiger al de uitnodigingen naast me neer te leggen omdat zij niet met mij willen worden geconfronteerd. Ik doe gewoon waar ik zin in heb. En meer nog: we zijn drie sterke en straffe madammen en laten niet op onze kop zitten. Samen sterk!

Als ik in het hotel arriveer, is het spektakel al gestart, de meisjes stellen één voor één hun meter of peter voor. Francesco Planckaert, Kaye Styles, Paul Michiels, Nico Mattan, Anneke Van Hooff, Raf Van Brussel, Werther Van der Sarren, Nicky Langley, Niels Destadsbader, Merho en Melvin Klooster kwijten zich mooi van hun job.

Stéphanie en ik besluiten iets te drinken aan de bar van het hotel. Om 12u30 stappen wij de receptiezaal binnen. De aandacht voor het podium vervaagt, fotografen komen op ons af en journalisten en cameramensen peilen naar onze reactie. Ik reageer kort en krachtig op de vragen van de reporters,

146

dat ik hier aanwezig moet zijn, dat ik medeorganisator ben van het evenement, dat ik mij niet moet verstoppen. Ignace had in zijn toespraak al negatief uitgehaald naar Nele en ook Stéphanie werd verbaal gebrutaliseerd. Ik laat het niet aan mijn hart komen. We amuseren ons, iedereen -sponsors, vrienden, collega's- komt ons een hart onder de riem steken. Rond 15u komt het tot een confrontatie op het terras van het hotel. Ignace heeft enkele glaasjes op. 'Hier kijk eens, mijn drie vrouwen', lacht hij. 'Mijn drie vrouwen. Miriam, Stéphanie en Nele. Drie vrouwen die nu zo graag in de schijnwerpers staan. Miriam, die nooit *in the picture* wou staan, is hier wel vandaag.' Ik heb schrik, het is niet de eerste keer dat Ignace uitdagend provoceert. Stéphanie laat blijken dat ze de situatie onaangenaam vindt. Ze draait haar gezicht weg en vraagt Ignace om weg te gaan. Ikzelf gebaar dat hij te veel heeft gedronken. Naast ons wordt het muisstil, alle gesprekken vallen stil. 'Nu sta je aan de kant van je mama', roept Ignace. 'Maar je zal er nog spijt van krijgen.' Ignace gaat door met de domme opmerkingen. 'Wil je mijn bruidsmeisje zijn als ik trouw, Stéphanie?' Hij lacht en grijnst. Stéphanie kan de scheldpartijen niet meer aanhoren. Ze begint te wenen en slaat haar vader in zijn gezicht. Hoe kan hij zijn dochter vernederen in het bijzijn van iedereen.

We verlaten het hotel. Ik heb een afspraakje met Dirk Van Vooren. Na het gesprek gaan Dirk, zijn vrouw, Stéphanie en ik samen iets eten. Na het ontspannend diner rij ik met mijn dochter naar huis. In de wagen probeer ik de gemoederen te bedaren. 'Met de fratsen die vader uithaalt, hoort hij thuis in de psychiatrie', zucht Stéphanie. 'Ik wil niets meer met hem te maken hebben, ik heb geen papa meer.' Ze knuffelt mij. 'Het gaat wel allemaal voorbij, hij zal nog wel zijn verstand gebruiken en lief zijn', reageer ik. Ik hoop dat er morgen niets in de kranten staat over het gedrag van Crombé deze middag.

Woensdag 2 juli 2008

Crombé kan het niet laten. Een dag na de peter – en metervoorstelling schopt hij wild om zich heen in de pers. 'Mi-

riam heeft de aandacht opgëeist, ze moet zich daarvoor verontschuldigen'. Ik heb nooit de aandacht opgeëist. Ik had
het recht om aanwezig te zijn op een *happening* waar ik
voor de helft de baas van ben. En bovendien is de scheiding
nog steeds niet getekend.
Stéphanie is nog steeds ontzettend boos op haar papa. Hij
bestaat niet meer voor haar en ze vindt het schandalig wat
hij ons heeft aangedaan. Zij begrijpt niet dat hij mij al die
jaren heeft bedrogen. Ze blijft bij haar voorgenomen besluit
en wil geen contact meer met hem.

Vrijdag 4 juli 2008

Om mezelf te verstrooien ga ik in op alle uitnodigen die
ik toegestuurd krijg. Zo hoef ik tenminste niet te veel na te
denken. Vandaag ga ik samen met Stéphanie naar de huwe-
lijksreceptie van Miss Belgian Beauty 2001 Eveline Hoste
en Bjorn De Wilde. Crombé is niet uitgenodigd. De receptie
in de VIP-ruimte van SK Roeselare is drukbevolkt. Ik blijf
hangen tot iets na middernacht, het doet me deugd.

Zaterdag 5 juli 2008

Ik ben op de begrafenis van Patrick Vyvey, de vaste presentator van de Nacht van Exclusief, hij overleed aan kanker.
Na de begrafenis heb ik een goed gesprek met Miss Belgian
Beauty 1997 Els Tibau. Nadien heb ik een lang gesprek met
de ouders van Stefanie Van Vyve, Miss Belgian Beauty 1996.
Het gespreksonderwerp blijft de breuk met Crombé en zijn
affaire, niemand heeft het zien aankomen.
's Avonds ben ik tezamen met Stéphanie op *Terrace Beach*.
Crombé is er ook maar ik gun hem geen blik. Stéphanie
en ik amuseren ons en beleven een toffe avond. We rijden
goedgemutst naar huis. Als ik onze straat inrij is ons huis
verlicht. 'Het is toch geen inbraak', zeg ik. Er is geen spoor
van vandalisme, Crombé heeft met zijn afstandbediening de
garagepoort geopend en is zo binnen gestapt. In de keuken
gooide hij de etensresten door elkaar, hij heeft ook enkele
waardevolle papieren meegenomen. Ik poets de keuken en
kijk nog naar de televisie om mij wat te verstrooien.

Zondag 6 juli 2008

Ik ben ben erg onder de indruk van de gebeurtenissen van gisterennacht en doe aangifte van de diefstal bij de politie. Morgen kies ik een andere afstandbediening voor de garagepoort, zo kan Crombé niet meer binnen. Morgen bel ik mijn advocaat om dat door te geven.

Woensdag 9 juli 2008

De scheiding schiet gelukkig op. Vandaag om 15u15 hebben Crombé en ik een onderhoud met onze advocaten en boekhouders in Kortrijk. Doel is om onderling tot een financiële overeenkomst te komen, zonder rechters, zonder gerechtelijke stappen, in alle sereniteit.

Ik zit samen met mijn advocaat en boekhouder aan tafel als Ignace binnenkomt. Hij grijnst en gaat zitten, als vanouds kijkt hij op ons neer. Ik laat zijn voorspelbaar *je m'en foutisme* van mij afdruipen en heb maar één doel voor ogen: zo snel mogelijk de deur uitwandelen en een nieuw leven beginnen.

In de voorgestelde minnelijke schikking wordt vermeld dat ik mijn 50 % van het organisatiebureau bvba *Animô* aan Crombé afsta en dat hij bijgevolg de Miss Belgian Beauty-verkiezing kan verderzetten. Ikzelf blijf in het echtelijk huis wonen, mag mijn auto behouden en krijg ons appartement aan zee. Er wordt over en weer gepraat over de evenredigheid van de scheiding. Op het einde van de meeting is er een finaal akkoord, alle partijen hebben een goed gevoel. De afspraak is om nu zondag 13 juli om 10u af te spreken bij mij thuis om alles te tekenen.

Ik hoop dat na de minnelijke schikking alle heisa gaat liggen. Hopelijk legt Crombé vanaf morgen geen bezwarende verklaringen meer af in de pers. Ik kan alleen maar blijven hopen dat hij nadenkt en steeds in het achterhoofd houdt dat zijn dochter en zijn ex een nieuw leven willen opstarten zonder verder gelinkt te worden aan hem. Ik heb Crombé al meermaals gevraagd drie keer na te denken vooraleer hij iets zegt aan journalisten, ik heb hem al genoeg gesuggereerd eerst in de spiegel te kijken vooraleer hij reageert op vragen van de pers.

's Avonds bezoek ik de familie Bral, zij hebben mij van het allereerste moment opgevangen. Ik ben hen zeer dierbaar, we drinken een glas rode wijn op de goede afloop van het onderhoud met de advocaten. Ik krijg telefoontjes van Het Laatste Nieuws, Het Nieuwsblad en De Gazet van Antwerpen, iedereen wil weten hoe de meeting is verlopen. Ik kan het niet laten om uitbundig te reageren. 'Ik ben tevreden en drink een glas rode wijn met vrienden', zeg ik.

Donderdag 10 juli 2008

In diverse kranten staat dat Ignace en ik gisteren een meeting over de scheiding hadden. In Het Belang van Limburg staat: 'In overleg met hun advocaten is gisteren een overeenkomst gesloten tussen Ignace Crombé en Miriam Jacques.'

Vrijdag 11 juli 2008

In Het Belang van Limburg zegt Ignace dat we in de beste verstandhouding uit elkaar zijn en dat hij volgens de scheiding is geregeld dat hij alleen het evenementenbureau *Animô* en de organisatie van Miss Belgian Beauty blijft runnen. Hij is uitgelaten en voegt er aan toe 'Miriam heeft misschien wijn gedronken, ik heb champagne gedronken na de meeting!' In Het Nieuwsblad stelt Ignace dat er een serene en positieve regeling is getroffen. Ik denk dat alles eindelijk achter de rug is.

Zaterdag 12 juli 2008

Vanavond ga ik naar het feestje van Story in de *Zuri* in Knokke. Nele en Stéphanie vergezellen me. Om 23u krijg ik een sms van Ignace. Hij laat weten dat hij de procedure van de echtscheiding onderlinge toestemming niet zal tekenen. Ik weet niet welk spelletje hij wil spelen of wil hij me gewoon met een slecht gevoel opzadelen vanavond?

Ik denk dat Ignace dat berichtje stuurt om mijn avond te vergallen en beslis er geen aandacht aan te geven. We feesten en rijden iets over middernacht naar huis.

Zondag 13 juli 2008

Vandaag is er alweer een D-Day. Straks om 10u komt Crombé en zijn advocaat het mondeling akkoord van vorige woensdag tekenen. Dan is alles verleden tijd en kan ik eindelijk een nieuw leven beginnen. Iedereen is aanwezig, maar Crombé komt niet opdagen. Ik vind het schandalig dat hij die papieren niet wil tekenen nadat we er uren samen in alle openheid over gedialogeerd hebben. Hij speelt weer zo'n vernederend spelletje. In plaats van ons wat rust te gunnen. Typisch Crombé, eerst rondbazuinen dat alles al geregeld is en dan niet komen opdagen. De twee advocaten maken een nieuwe afspraak voor volgende week dinsdag.

Dinsdag 15 juli 2008

Om 08u hebben we voor de tweede keer een afspraak bij mij thuis. Maar weer komt Crombé niet opdagen. Mijn advocaat Arnold Gits meldt me dat hij na 2 afspraken naar de rechtbank stapt om Crombé te dagvaarden. Hij laat de rekeningen blokkeren en dwingt een alimentatie af. Crombé stuurt duidelijk aan op een vechtscheiding, iets wat ik zeker niet wil of wens.

Stéphanie raadt mij aan om een profiel aan te maken op Facebook. Ik voel mij wat onwennig tussen al de jonge mensen maar gelukkig helpt Stéphanie mij. Facebook is een fantastische uitvinding, je kan een groot sociaal netwerk aanmaken met oude vrienden, ex-klasgenoten, vrienden en kennissen. Het is dé uitvinding van het jaar.

Donderdag 17 juli 2008

Ik zit er compleet door en bel mijn dokter, Steven. Hij bezoekt mij en schrijft vitaminen voor. Ik heb het enorm moeilijk omdat de scheiding niet opschiet, Crombé blijft me gijzelen en pijn doen door onze echtscheiding twee keer uit te stellen. Dat hij een nieuw lief heeft, tot daar aan toe. Maar dat hij ons ook nu nog wil terroriseren is er voor mij teveel aan.

De echtscheiding is vandaag betekend, ik vorder bepaalde voorlopige maatregelen voor de duur van de echtscheidingsprocedure.

In het Casino van Blankenberge staat vanavond de première van *Pak de Poen* op het programma, een klucht van Studio 100 met Patrick Onzia en Dirk Van Vooren. Ik wil onder de mensen komen, samen met Stéphanie en Nele Somers rij ik naar de kust. Crombé is aanwezig met 11 finalistes, er wordt geen woord gezegd. Op de receptie negeer ik hem, ik wil geen oogcontact en laat mij omringen door zoveel mogelijk mensen. Sinds lang kan ik alles loslaten. De show is goed, we blijven tot drie uur 's nachts in het casino. Ik heb me goed geamuseerd.

Zondag 20 juli 2008

Inge, een goede vriendin verjaart vandaag. Om 19u geeft ze een feest in Bissegem. Inge is gek op orchideeën, ik koop een mooi boeket en bel aan. Ik ben de enige vrijgezel, maar ga toch uit de bol. In gesprekken vraagt iedereen zich af hoe ik het zo lang heb kunnen volhouden. Ik besef hoe langer hoe meer dat ik veel tijd heb verloren.

Thuis surf ik naar Facebook, er hebben zich al 10 mensen aangemeld om vriend te worden. Ik vind het allemaal zeer spannend.

Maandag 21 juli 2008

Het is de Nationale Feestdag, ik slaap lang uit. Om 18u voer ik Stéphanie naar Ieper, morgen vertrekt ze met enkele vriendinnen op reis naar Tunesië. De mama van haar vriendin voert de meisjes morgenvroeg naar de Parijse luchthaven Charles de Gaulle. Stéphanie komt de 29ste terug. Het wordt een moeilijke week zonder Stéphanie. Om 23u30 ga ik slapen, op mijn hoofdkussen ligt een omslag. Stéphanie heeft een brief geschreven.

Lieve mama,

Nu ben ik een weekje weg, maar ik ben snel weer terug. Ik zal heel veel aan jou denken, we hebben het niet gemakkelijk nu, maar we slaan er ons wel door. Laat je nooit iets wijsmaken, je bent een héél goede mama!
Ik ben er zeker van dat je een lieve vriend zal vinden van jouw leeftijd, maar dat zal wat tijd vragen. Je bent daar nu ook nog niet klaar voor. Ga nooit op zoek naar de liefde, de liefde zal jou wel opzoeken. Spreek aub nooit af met iemand die je niet kent. Ik wil niet dat jou iets overkomt!
Probeer deze week met veel mensen af te spreken, zodat je niet veel tijd hebt om na te denken. Weet dat ik je héél graag zie en vanuit Tunesië veel aan jou zal denken...

Liefs

Stéphanie

Mooie woorden en zeer lief van Stéphanie. Maar de tekst is te emotioneel voor mij. Hoe kan een kind zich zo kranig houden en mij als mama goede raad geven. En tussen de lijnen voel ik dat Stéphanie hoopt dat mij niets overkomt, want wat zal er dan met haar gebeuren? Ik gooi mij op mijn bed en laat mijn tranen de vrije loop. Het briefje stop ik in mijn agenda, ik probeer te slapen.

Dinsdag 22 juli 2008

Ik heb het moeilijk, voor de eerste keer ben ik tien lange dagen helemaal alleen. Om vooral niet alleen te zijn bel ik mijn vriendinnen op. Ik plan deze week nog veel afspraakjes.

'Thuis bij Ignace en Patricia', staat op de cover van het weekblad Dag Allemaal. Vijf pagina's lang kan ik meekijken van de woonkamer tot in de slaapkamer van hun liefdesnestje in Stasegem. 'Zolang de echtscheiding niet is uitgesproken', wonen we voorlopig in dit huurappartement', zegt Ignace. Zolang deze echtscheiding niet is uitgesproken zou ik geen bezwarende interviews geven, is mijn mening.

153

Om 10u30 heb ik een afspraak met vriendin Hilde, we lunchen in Kortrijk. De Dag Allemaal is het thema van vandaag. Om 18u vertrek ik met Nele Somers naar het paardenspectakel *Cavalia* in Knokke. Even ontsnappen aan de horror van de Crombé-soap. Al maanden worden we nu gegijzeld door de man. Nele en ik zijn gek op paarden en ik moet zeggen, het was fantastisch. Samen met 2000 toeschouwers gaan we uit de bol. Onder de aanwezigen zie ik Paul en Pascale Jambers, Goedele Liekens en haar vriend Samuel. Het is een spectaculaire avond, een absolute aanrader.

Woensdag 23 juli 2008

Vandaag zouden Ignace en ik 25 jaar getrouwd zijn. Ik kan de herinneringen niet onderdrukken. Ik wandel door het huis en krijg heimwee naar weleer. Dit hier hebben we allemaal opgebouwd, het had allemaal anders kunnen zijn, samen oud worden, samen vechten voor elkaar. Ik kan mijn tranen niet onderdrukken.

's Middags pep ik mij weer op. En zeg tegen mezelf dat het goed is zoals het nu is gelopen, anders had ik de verdere rest van ons huwelijk moeten samenleven met een man die de ene affaire na de andere heeft. En dan was de pijn nog groter. Om 16u ga ik met Nele Somers naar de Gentse Feesten. Het lijkt me een goed idee om het verdriet om mijn 25ste huwelijksverjaardag te gaan verdrinken op de Feesten.

Zaterdag 26 juli 2008

Ignace maakt zich weer onnoemelijk belachelijk. 'Ik heb mezelf niets te verwijten' staat in het groot weekendinterview van Het Laatste Nieuws.
In het interview vertelt Ignace dat zijn vrienden hem weer hoop hebben gegeven. 'Wij legden de grens op 37-40, jij hebt er nu eentje van 25, gij toont dat het kan.' Een mooie pedagogische les van meneer Crombé. Ik leer nog maar eens zijn mediageilheid kennen en weer eens is er geen zuchtje medeleven voor de achtergelaten vrouw en dochter. In hetzelfde interview zegt Crombé doodleuk dat ik op de hoogte was van zijn beginnende relatie met Patricia vanaf oktober

2007. Wat helemaal niet zo is. Hij heeft constant ontkend en ik heb gevochten als een leeuw om mijn gezin samen te houden. De banaliteiten stapelen zich op in het interview. 'Als Patricia kinderen wil, ga ik haar daarin volgen', 'Als er nooit meer liefde is, als het jarenlang zagen en ketten is, dan weet je genoeg.' En ik krijg ook nog een platte opmerking te lezen: 'Het schijnt dat ik nog iets kan op mijn leeftijd. Jarenlang was er niets meer en nu kan het perfect overdag tussen twee mails door'. Wat wil die man bewijzen en hoe respectloos kan hij zijn naar onze dochter toe.

Om 01u belt er iemand aan de deur. Ik sta op en loop naar de badkamer, van daaruit kan ik zien wie aan de voordeur staat. Het is Crombé, hij roept: 'Ik heb materiaal nodig'. Ik zeg hem dat ik de politie bel als hij niet onmiddellijk weggaat. Hij rijdt weg. Ik bel meteen de politie om het nachtelijk voorval te melden. Ze maken een pv op.

Zondag 27 juli 2008

In de kranten Het Nieuwsblad en Het Laatste Nieuws meldt de regerende Miss Belgian Beauty Nele Somers dat ze definitief met Ignace breekt. In een persbericht stelt ze dat ze wil verder werken aan de uitbouw van een mediacarrière met een nieuw management, het kantoor van Dany Peleman, de manager van Tania Dexters, Ann Van Elsen en Annelien Coorevits. Nele ligt nog onder contract tot de volgende Miss Belgian Beauty-verkiezing van 18 oktober, ik verwacht zware woorden van Ignace. Maar ik begrijp Nele, ze wil alle verplichtingen ten opzichte van Crombé uitvoeren, maar wil andere aanvragen en opdrachten exclusief door Dany Peleman laten opvolgen.

Om 12u30 verwacht mijn zus Petra mij op haar barbeque. Het is een emotionele namiddag, nog maar eens besef ik dat Crombé mijn familie acht jaar lang van mij heeft afgepakt. 's Avonds ga ik met vrienden naar de musical *Fame*. Het onderonsje doet ons deugd.

Maandag 28 juli 2008

Ik kom nu al enkele weken met iedereen in contact. Het is opvallend wie de kant van Ignace kiest. Dat zijn meestal de mensen die met hem hun brood verdienen, wiens brood men eet, diens woord men spreekt. Anderen zijn ook gescheiden en herkennen hun situatie. En dan zijn er nog de profiteurs, vrienden die overal op recepties mee mogen. Die vrienden blijven nu ook nog zijn vrienden, omdat ze denken dat ze nog voordeel uit Ignace kunnen halen.

Ignace is enkele dagen geleden op café geweest in Bissegem. Mensen vertellen mij vandaag dat hij op café heeft gezegd dat hij zijn ex gaat kloten. En inderdaad zaterdag om 01u heeft hij bij mij staan bellen aan de deur.

Vandaag hoor ik van mijn advocaat dat de uitspraak van de scheiding voor het eind van het jaar is. Dat is heel ver weg. De lange duur van de rechtszaak vind ik verschrikkelijk. Het proces sleept echt te lang aan. Ik blijf nu al maanden in het ongewisse leven. We hebben Crombé de kans gegeven om voor een menselijke echtscheiding te kiezen, een echtscheiding met onderlinge toestemming. Voor de rust en de sereniteit wilde ik geen echtscheiding op grond van feiten. Om iedereen te sparen had ik liever geen echtscheiding die voor een rechtbank wordt uitgevochten. Ik vind het waardig dat ik zijn overspel niet via een gerechtsdeurwaarder heb vastgesteld.

Dinsdag 29 juli 2008

Stéphanie komt eindelijk terug van vakantie, ze wordt door vrienden thuis afgezet. Wat heb ik mijn kind gemist. Het weerzien is heuglijk, ze ziet er energiek en mooi gebruind uit. Ik bedank haar meteen voor de brief die ze voor haar vakantie op mijn bed heeft gelegd. Ik heb die brief elke dag herlezen. Stéphanie vertelt honderduit over haar reiservaringen in Tunesië. 's Avonds gaan we dineren in Kortrijk. Aan tafel weiger ik te praten over de hele Crombé-soap. Ik weet dat Stéphanie er niet aan herinnerd wil worden, al

156

maandenlang verdringt ze het familiaal drama. Toch probeer ik haar gerust te stellen en verdring ik mijn verdriet. Stéphanie beseft niet dat ze mijn houvast is in deze moeilijke periode. Ik vrees dat ik er zonder Stéphanie niet meer zou zijn, zonder haar was ik zeker uit het leven gestapt.

Woensdag 30 juli 2008

Er wordt fel en hard gereageerd op het weekendinterview van Ignace in Het Laatste Nieuws. In een lezersbrief zegt Henk Tromp : 'Ignace Crombé is het toonbeeld van een eenvoudige opportunist. Welke sponsors willen nog in zee met deze geile bok?' 'Is de ijdelheid van Crombé stilaan bevredigd? Mij komt de overexposure van de testosteronescapades van dit heerschap de keel uit', schrijft Peter Steenbeke in de rubriek *Dialoog* van Het Laatste Nieuws.

Ik word overstelpt met negatieve reacties van mensen. Toch doe ik niet mee aan de kwaadsprekerij. Ik heb tussen 1983 en 2006 een goede verhouding gehad met Crombé en probeer die periode te koesteren. Mijn boosheid ruimt stilaan plaats voor relativering.

Donderdag 31 juli 2008

In *Hotel José* in Blankenberge wordt het startschot gegeven van de nieuwe Kusttoernee. Tussen 1 en 8 augustus stellen de finalisten zich voor in zestien badplaatsen. Zoals de voorbije jaren komen de meisjes elke avond in *Hotel José* overnachten. De hotelmanager Karolien Gooderis heeft mij uitgenodigd en ik ga op die uitnodiging in. Ignace eiste om mij niet uit te nodigen, maar dat sloeg Karolien in de wind. Als ik arriveer in het hotel eist Ignace opnieuw dat Karolien mij buiten gooit, hij tiert en schreeuwt.
'Het is zij of ik', roept Ignace. Dat een man van 51 in het bijzijn van finalisten, toeristen en andere aanwezigen niet tactvoller of innemender kan zijn treft mij opnieuw. Hoe is het mogelijk dat iemand zo agressief kan exploderen. Onbegrijpelijk dat hij zelfs voor zijn nieuwe vriendin geen beter figuur wil slaan. Na de woordenwisseling vlucht Ignace met zijn finalisten het hotel uit. Hij stuurt zelfs nog de Blan-

kenbergse politie op mij af omdat ik zogezegd amok heb gemaakt. Gelukkig weten de agenten beter, ze vinden het opstootje banaal en weigeren tussen te komen.

Door dit incident verliest Ignace de sponsorovereenkomst met *Hotel José*. De finalisten mochten in het hotel een week gratis slapen en een paar keer gratis eten, dat contract staat synoniem voor € 10.000,00. Karolien gaf toe dat ze dit jaar nog wilde sponsoren na meerdere smeekmails van Ignace. Karolien vindt Ignace een groot kind, ik heb het vanavond met mijn eigen ogen kunnen zien hoe Ignace door zijn kinderachtig gedrag mensen, kennissen en sponsors terroriseert en bijgevolg ook verliest. Ik schaam me voor zijn gedrag. Heel triestig.

Vrijdag 1 augustus 2008

De Kusttoernee start om 11u in Knokke, de huidige Miss Nele Somers is zoals te verwachten persona non grata. Voor de eerste keer in al die jaren ben ik er niet meer bij. Patricia Govaerts heeft mijn plaats ingenomen en begeleidt de meisjes, ik heb het daar heel moeilijk mee.

Zaterdag 2 augustus 2008

In Het Laatste Nieuws wordt de Kusttoernee met de grond gelijkgemaakt. 'De klucht duurt voort, kusttoer van MBB draait in de soep, niveau kandidates ondermaats', schrijven de journalisten Mark Coenegracht en Bart Huysentruyt.

Zondag 3 augustus 2008

Stéphanie is vroeg uit de veren, ze vertrekt met de trein naar Zeebrugge omdat ze de meisjes van de nieuwe Miss Belgian Beauty-verkiezing wil ontmoeten. Ook zij mist het evenement. Haar vader is niet op de hoogte van haar bezoek, maar ik hoop dat hij Stéphanie met open armen ontvangt.

's Avonds komt Stéphanie thuis met een bizar verhaal. Toen ze goedgemutst in Zeebrugge arriveerde op het VIP-terras vroeg ze een drankje. 'Krijg je geen drankje van je moeder misschien', reageerde Crombé. Stéphanie is na die domme reactie halsoverkop weggelopen. Ignace liep haar nog achterna, maar hij kon Stéphanie niet bijhouden en haakte af. Hoe is het mogelijk dat Crombé zijn dochter blijft beledigen. Dan doet ze al een poging om contact te zoeken, krijgt ze zo'n reactie. Ik heb zin om mijn gsm te nemen en Crombé op zijn huiselijke en ouderlijke plichten te wijzen, maar ik doe het uiteindelijk niet.

Maandag 4 augustus 2008

Ik winkel de hele dag in Antwerpen met vriendin Monique en 's avonds dineer ik met Caroline Ex.

Woensdag 6 augustus 2008

Samen met Stéphanie vlieg ik voor zes dagen naar El Gouna in Egypte. We zijn er uitgenodigd door de eigenaars van het hotel. Ik laat het Crombé niet weten, hij kijkt ook niet om naar zijn gezin en als hij het weet begint hij weer onnozel te doen.
De zon doet ons goed, we rusten, zonnen, lezen, wandelen en vergeten de hele Crombé-poppenkast.
Stéphanie wordt ziek, ze heeft een zware angina, maar ik verzorg haar goed. Hopelijk kan ze nog enkele dagen genieten van deze vakantie.

Maandag 11 augustus 2008

Stéphanie is al enkele dagen aan de betere hand.We bezoeken Hilde in El Gouna, Hilde verzorgde acht jaar lang de choreografie van Miss Belgian Beauty en woont nu in Egypte. Stéphanie stelt voor om samen te koken. Als we aan tafel zitten krijg ik een sms van Ignace. Het is 21u35.

'Reeds dagen moet ik in mijn bureau en op de zolder zijn. Je bent nooit thuis. Het slot openbreken is de enige optie. Sorry.'

Ik blijf rustig en antwoord :
Morgen thuis

Hij antwoordt om 21u38 via een nieuwe sms :
Te laat!

Ik ben in alle staten en bel de politie van Kortijk om de mogelijke actie van Crombé te melden. Zij verzekeren mij om het aantal patrouilles rond het huis op te voeren.

Ik ben nog niet helemaal gerust en telefoneer naar mijn zus Ciska met de vraag of zij bij ons thuis wil komen overnachten. Om 22u rijdt Ciska met haar dochter Anouk naar Bissegem om in mijn huis te overnachten. Hoe is het toch mogelijk dat Crombé ons blijft terroriseren. Morgen bel ik naar mijn advocaat, die onredelijke spelletjes moeten ophouden, die man is echt ziek in zijn hoofd.

Dinsdag 12 augustus 2008

Ik verneem dat Crombé de sloten van het huis niet heeft geforceerd. Hij wilde mij gewoon op stang jagen, maar ook dat is onvergeeflijk. Als ik na de vliegreis thuis mijn mails wil checken, merk ik dat het internet is afgesloten. Ik contacteer Belgacom en wat blijkt: Crombé stopte op eigen houtje onze internetaansluiting! Onbegrijpelijk, hij wil een goed contact hebben met zijn dochter en Stéphanie is nu zelfs onbereikbaar via mail. Crombé kwam al 2 keer niet opdagen om de echtscheiding onderlinge toestemming te ondertekenen. We hebben geen inkomsten, de rekeningen zijn geblokkeerd. Hij stopte nu ook de internetverbinding, ongelooflijk.

Woensdag 13 augustus 2008

Wij kunnen niet meer communiceren. Ik moet elke middag en avond mijn e-mails bij een vriendin bekijken. Wie doet nu zoiets, welke zieke man die zelf zijn huwelijk opblies, die al maanden samen met zijn vriendin samen woont, doet zoiets?

Zondag 17 augustus 2008

In De Panne wordt Miss Elegantie verkozen, ik zit in de jury met Nele Somers, Raf Vertunio en Filip D'haeze. Het is een leuke namiddag en ik vind het fijn dat ik voor zo'n evementen wordt gevraagd.

Op de terugweg naar huis vraag ik mezelf af wanneer ik klaar zal zijn voor een nieuwe relatie. De laatste jaren waren één lange stressvolle periode met de gekende lichamelijke klachten: gebrek aan eetlust, slapeloze nachten, hoofdpijn, een down gevoel... Daarom hou ik ook dit dagboek bij, als ik het soms eens herlees, merk ik hoezeer ik vooruit ben gegaan. Bij sommige passages ween ik nog, maar een huilbui lucht mij op. Ik ken mezelf, ik zal pas open staan voor een nieuwe relatie als mijn echtscheiding is uitgesproken.

Maandag 18 augustus 2008

Samen met onder andere Goedele Liekens en Kathy Pauwels zit ik in de jury van Miss Wim 2008, de missverkiezing van Wim Oosterlinck op Q-Music. De finale vindt plaats in het Q Beach House in Oostende. Goedele nodigt mij uit op de lanceringparty van haar blad Goedele. Ik zal er zijn.

Vrijdag 22 augustus 2008

'Kwis met de Miss', is een kwis die in Drongen wordt georganiseerd met de Miss Belgian Beauty-kandidates in aanloop naar de verkiezingen. Elk jaar zat Ignace in de jury, nu is hij niet meer welkom. Ik werd wel uitgenodigd, wat veelzeggend is.

Ik probeer het weekend rustig in te zetten met Stéphanie en val van de ene verbazing in het andere. Aan de sensationele Crombé-soap komt geen einde. Ik verneem via via dat het tot een handgemeen is gekomen tussen Ignace en Patricia in hun appartement in Stasegem. De ruzie resulteerde in slagen en verwondingen. Patricia belde in angst en paniek naar haar goede vriendin Jenny Fadder, die haar bliksemsnel met haar wagen kwam ophalen. Op straat zou er geschreeuwd, getrokken en geduwd zijn. Daarbij zou Ignace blutsen in een portier van de wagen hebben gestampt. De wagen van de vriendin van Patricia is beschadigd, Patricia zelf liep schaafwonden en blauwe plekken op. De twee vrouwen dienden klacht in bij de politie van Harelbeke.

Zaterdag 23 augustus 2008

Ignace is vorige nacht door de politie opgepakt en van zijn vrijheid beroofd voor de gewelddadige feiten. Hij gaf toe dat er iets was gebeurd. Deze middag verschijnt Ignace voor de parketmagistraat in Kortrijk, daarna wordt hij vrijgelaten. Maar pas nadat hij een document ondertekent waarin hij belooft om zich te laten behandelen voor zijn aanvallen van agressie, mag hij beschikken.

Het gaat van kwaad naar erger met Ignace. Hij voelt zich blijkbaar niet goed in zijn vel. Waar zal dit familiaal geweld en die agressie eindigen? En wat zal er weer in de kranten staan maandag? Hoe zal het eindigen met de sponsors? Ik heb jarenlang de contacten verzorgd met de sponsors, hoe zullen zij reageren op deze nieuwe ellende? Christine van Xantippe zei al eerder 'Ignace kan hysterisch reageren, als hij een vrouw slaat is het heel erg'. Maar het is mijn zaak niet meer. Ik word verwacht op het zomercarnaval in Kortrijk. Rond 17u word ik gebeld door de pers, met de vraag of ik ooit slagen kreeg. 'Geen commentaar, uit respect voor Stéphanie en mezelf', reageer ik. Ik kon mij het voorval perfect voorstellen. Ignace is koleriek en weerbarstig. Ik kreeg al een nietjesmachine naar mijn hoofd, op momenten dat ik Ignace confronteerde met zijn affaire, stormde hij het kantoor in of uit, hij gooide zijn gsm op de grond en stampte die kapot. Ik heb het allemaal meegemaakt. Maar nogmaals: *I don't care!*

Maandag 25 augustus 2008

Crombé en Patricia vliegen naar Egypte om de trip van de Missen voor te bereiden. Met een sms'je laat Patricia weten dat er geen vuiltje aan de lucht is. 'Ignace heeft me niet geslagen en hij zat niet in de cel' haar sms'je staat wel haaks op wat de politie en het parket verklaarden. Alweer een poging van Ignace om zijn slecht imago te op te krikken.

Toch staat er op pagina één van het nieuwsblad : 'Ignace Crombé slaat zijn Patricia, organisator in de cel'. In het ar-

162

tikel zegt Tom Janssens, woordvoerder van het parket van Kortrijk dat als er tegen Ignace nog één klacht komt over fysiek geweld het parket hem zal vervolgen. Zelf de gouden medaille van Tia Hellebaut kan me niet oppeppen. Wat een gedoe allemaal.

Het vtm-nieuws zendt een reportage uit over Crombé. 'De perikelen rond Ignace Crombé, de Missmaker wordt stilaan een vette kluif voor cabaretiers', luidt de commentaarstem. Geert Hoste spaart zijn kritiek niet: 'Als je Miss-verkiezingen organiseert dan doe je dat omdat je graag jonge vrouwen ziet, dat is de reden'. Voorts wordt de vechtpartij tussen Ignace en Patricia opgevoerd en ook de vechtscheiding komt ter sprake. Nu weet heel Vlaanderen welke organisator Crombé is.

Dinsdag 26 augustus 2008

Ook vandaag lees ik de kranten met argusogen. In het Belang van Limburg staat een foto van Crombé die begeleid wordt door een agent. Het Laatste Nieuws titelt 'We zien elkaar doodgraag'. Hopelijk neemt het 'stel' deze slagzin niet te al letterlijk, na de rellen van vrijdagnacht proberen ze alles te minimaliseren en een 'schoonheidsoperatie' op te zetten. Voor de eerste keer reageert vader Govaerts in de krant. Hij maakt zich zorgen omdat hij alleen maar slecht nieuws hoort over zijn dochter Patricia. Nog steeds heeft hij de nieuwe man in het leven van zijn dochter nog niet ontmoet. Ook daar moet een klink in de kabel zijn.

Ik heb de voorbije maanden vaak gedacht om de ouders van Patricia te contacteren en te vragen of ze hun dochter uit mijn huwelijk wil houden. Ik heb het nooit gedaan, daar heb ik nu wel spijt van. Maar ik heb hoegenaamd geen spijt van mijn breuk met Ignace, er is te veel gebeurd. De liefde die er ooit tussen ons was is definitief over, dat komt nooit, nooit, nooit meer goed. Ik blijf nog liever heel mijn leven alleen dan hem terug in huis te nemen.

Woensdag 27 augustus 2008

Ignace staat met de titels 'Stoppen slaan door bij Crombé, mishandelde vriendin Patricia en beloog en bedroog vrouw Miriam' op de cover van TV Familie. Leuk is anders. Ik krijg van overal de opmerkingen dat hij mij allicht ook wel zal geslagen hebben tijdens ons huwelijk. Ik reageer niet op de aantijgingen, ik geef geen interviews.

Vrijdag 29 augustus 2008

Het is geen verrassing, maar zeer pijnlijk. Het Leiefeestcomité, dat de verkiezing Leie ambassadrice organiseert zet presentator en pr-verantwoordelijke Ignace Crombé aan de deur. Ons bedrijf heeft drie jaar lang de verkiezing Leie ambassadrice georganiseerd. Comitévoorzitter Freddy D'Hondt geeft aan dat de opeenstapeling van negatieve publiciteit rond zijn persoon en de vechtscheiding, de slagen en verwondingen, de politie en de hele cinema de oorzaken zijn.

Het doet pijn om te zien dat al mijn werk in enkele maanden implodeert. Op 10 juli zette de stad Menen al een punt achter de jarenlange samenwerking met *Animô*, ons evenementenbureau. We organiseerden 10 keer de Wieltjesprinses en de Stadsambassadrice Menen.
Volgens schepen van Feestelijkheden Rudi Vandamme wil het stadsbestuur niet langer gelinkt worden met de bizarre levenswandel van Ignace. Ook Hans Desmedt, marketingmanager bij de groep Van Wonterghem en discotheek *Carré* kapte met de samenwerking. Hij boekte vaak een Miss, maar door al de heisa haakt hij definitief af.
Ignace speelt alles kwijt. Van de zes hoofdsponsors van Miss Belgian Beauty stopten er al vorige maand al twee: *Physiomins* en *Image People*.
Een goede kennis Francis Devolder van *Image People* zegt in Het Laatste Nieuws dat hij zijn contractuele afspraken voor dit jaar nog wil nakomen, maar dat hij er daarna mee stopt. Vic De Jaegher van *Physiomins* had met Ignace afgesproken dat hij zou stoppen met 'de zever' in de media. Omdat Ignace gortig werd en alles overal breed uitsmeerde.

'Die beslissing nemen we ook uit respect voor zijn vrouw Miriam', zegt Vic in Het Laatste Nieuws. Hoofdsponsor Nissan stopt met onmiddellijke ingang. De winnares mag straks geen jaar met een Nissan rijden. Schoonheids – en kapsalon *Xantippe* al 18 jaar sponsor van de verkiezingen dreigt nu ook weg te vallen. Bazin Christine Waeyaert overweegt te stoppen omdat Ignace geen respect toont. Ik vraag mij af of de naam Miss Belgian Beauty ooit nog zal blinken. Ik heb dan wel niets meer met het evenement te maken, maar de pijn is er niet minder om.

Ook Rani De Coninck die 'De Gouden Twaalf' zou presenteren op 20 september haakt af, ik vrees dat ook hier het gedrag van Ignace heeft meegespeeld. Gelukkig wil Willy Sommers wel nog optreden die avond. Rani wordt vervangen door Sarah Susanne, een Brusselse finaliste van vorig jaar en Gerrit Grobben. In een interview met Primo vat Miss Belgian Beauty Stefanie Van Vyve het hard samen: 'Elke dag lees je wel iets in de krant, waar is die man van 51 in godsnaam mee bezig! Ik wil niets meer te maken hebben met zijn organisatie.' Stéphanie kwam tot vorig jaar nog op bezoek tijdens een kusttoernee of een receptie, ook die aangename ontmoetingen vallen nu weg. Ik heb 25 jaar hard gewerkt voor ons bureau en nu moet ik toekijken op het vergaan ervan. Dat valt me zwaar, ik eindig de avond in tranen.

Zondag 31 augustus 2008

Vandaag viert Stéphanie haar 16de verjaardag bij ons thuis in de tuin. 'Het is niet omdat we zoveel miserie hebben dat ik geen feestje mag organiseren', zegt ze. En inderdaad mijn dochter wordt maar één keer zestien. Wat heeft ze de voorbije maanden allemaal niet moeten slikken.

Stéphanie nodigt 40 vrienden uit en wil niet herinnerd worden aan haar vader. Daarom heeft ze deze morgen het standbeeld 'De Missmaker' in de voortuin verstopt onder een zwarte doek. Ze kan het gezicht van haar vader niet meer zien. Ook vandaag krijgt Stéphanie geen sms'je, geen kaartje, geen geschenkje, geen berichtje van haar vader. Een mail krijgen van haar vader was onmogelijk want hij heeft het internet afgesloten, Belgacom komt het pas over enkele dagen weer aansluiten.

Maandag 1 september 2008

Het zwarte doek dat Stéphanie over het standbeeld van Ignace heeft gebonden is verdwenen. Het zal wel weer een streek van Crombé zijn. We hebben nu een nieuw rood doek over het standbeeld gehangen. Eens kijken hoe lang het duurt vooraleer Crombé reageert.

Stéphanie vertrekt naar school voor haar eerste schooldag. Ik hoop van harte dat de ellende in de pers stopt en dat zij dit jaar met geen enkel negatief artikel wordt geconfronteerd. 's Middags koop ik mijn eigen laptop, een zwarte Acer, ik heb ervoor gespaard en ben blij als een kind.

Dit schooljaar komt Stéphanie elke avond naar huis, het tijdperk van het internaat is voorbij, Stéphanie wil elke avond thuis zijn. Dat komt mij goed uit. Samen sterk.

Dinsdag 2 september 2008

De nieuwe cover van de Story verraadt niets goed: 'Ignace Crombé: van kwaad naar erger. Meer verliefdheden, meer agressief gedrag, meer haat en ruzies.' In het lange artikel komt Story nog eens terug op 'de agressie die Crombé botvierde op zijn nieuwe vriendin Patricia waarop zij klacht indiende bij de politie.' Er wordt nog eens ingegaan op het 'intrafamiliaal geweld' met Patricia Govaerts vorige week en het 'intrafamiliaal geweld' eind mei toen Crombé en ik ruzie hadden in het echtelijk huis.

In Dag Allemaal staat een interview met de bejaarde moeder van Ignace. Daarin zegt ze 'Ik ben ten einde raad, ik kan écht niet meer, ik heb al twee keer op het punt gestaan om in de vaart te springen.' In het gesprek klinkt ze aangeslagen: 'Als ik voorbij een krantenwinkel loop, zie ik Ignace op de voorpagina's staan. Ik kan er echt niet meer tegen. Ik ben erg verward en ten einde raad. Als dit nog veel langer blijft duren, gaan er ongelukken gebeuren. Dan vallen er doden.'

Ik begrijp de moeder van Ignace. Waarom houdt Crombé geen rekening met de impact van zijn daden en van zijn vertelsels voor zijn naaste familie. In dezelfde Dag Allemaal komt Jean-Francois Liviau aan het woord, hij woont in Stasegem naast het appartement van het duo. Hij beweert: 'De buurjongen heeft me verteld dat ze voortdurend ruzie maken. En hevig hé. Ze waren luid tegen elkaar aan het roepen en de verwijten vlogen in het rond. Ik heb Crombé ook al eens horen wenen, wel een uur aan een stuk.'

Ook in het weekblad P-magazine staat een artikel over Ignace. Op de cover staat de one-liner 'Crombé door het lintje'. Binnenin het weekblad staat dat Miss Belgian Beauty-organisator Ignace Crombé vorige week zijn handen liet spreken in een ruzie met nieuwe vlam Patricia. Journalist Kristof Dalle heeft het over *de Schrik van Stasegem, de Bruut van Bissegem*. In Het Laatste Nieuws staat een artikel over Crombé. 'Dankzij de fratsen van Crombé is er gigantisch wantrouwen', deelt Rik Vervecken geërgerd mee. Volgens Vervecken, zelf organisator van Miss Diamant en Miss Vlaanderen zijn er sinds de buitensporigheden van Crombé minder kandidaten, meer bezorgde ouders, minder sponsors en minder media-aandacht. Ook Darline Devos, voorzitster van Miss België ergert zich aan het slechte imago van de Miss-verkiezingen sinds de zorgwekkende streken van Crombé.

Om mezelf wat te ontspannen en wat onder de mensen te zijn ga ik naar Waregem Koerse. Om 18u rij ik naar Brussel, naar de lanceringparty van het nieuwe maandblad van Goedele. Opvallend is dat ik de laatste zes maanden veel meer complimenten gekregen heb dan tijdens mijn vijfentwintig jaar huwelijk.

Ik toon mij overal sterk en wil niet laten blijken dat ik op mijn tandvlees zit. Huilen doe ik als ik thuis ben, alleen en zonder getuigen. Die fierheid heb ik. Maar de eenzaamheid en de woede in mij is zwaar om dragen. Het idee om eens vrijblijvend met een psycholoog of een psychiater te praten, overweeg ik niet, ik wil mijn eigen psychiater zijn. Ik wil hier sterker uitkomen dan ooit voorheen.

Woensdag 3 september 2008

Er gaat echt geen dag of week voorbij of de Crombé-soap staat ergens in een weekblad. In TV Familie keren heel wat BV's zich van Crombé en dus van de Miss Belgian Beauty-organisatie af. Zo wil Paul Michiels als peter van Sylvie Dewitte liever niet met Miss Belgian Beauty geassiocieerd worden. Raf van Brussel is peter van Yoni Mous, ook hij wil liever niet gelinkt worden aan de privésoap van Ignace. Familie-actrice Anneke Van Hooff blijft Ann Persiguero steunen, maar houdt niet van de commotie. In Primo reageert Anne De Baetzelier geschokt op de gebeurtenissen. 'Ik heb liever niet dat mijn dochter Ellen aan Miss Belgian Beauty deelneemt. Wie zou zijn dochter nu nog aan die verkiezingen willen zien deelnemen, tenminste zolang dat onder de leiding van Ignace Crombé gebeurt. Wat daar is gebeurd, hou je toch niet voor mogelijk? Ik vind het verbijsterend dat die missverkiezing na die hele heisa sowieso nog bestaat.' Ik hoor dezelfde reacties op straat van bekende en onbekende mensen. Ik ben ontreddderd door de hele opschudding.

Vrijdag 5 september 2008

Ondanks alle negatieve tamtam gaat Crombé door. Ik weet niet waar hij de kracht haalt. 's Middags vertrekken de 19 finalistes naar Hurghada in Egypte om er zich in het *Sunrise Mamlouk Palace Resort* voor te bereiden op de verkiezing van 'De Gouden Twaalf'. De Waalse Anicée Van Camp gaf al eerder verstek omdat ze op 1 september aan de slag kon als gevangenisbewaakster.

Zaterdag 6 september 2008

Voor de allereerste keer in 18 jaar blijf ik thuis. Ik heb het moeilijk en huil. Ik ben op mijn eigen organisatie vervangen door een echtbreekster, dat valt mij zeer zwaar.

Om 19u word ik samen met Nele Somers verwacht in het casino van Knokke voor de verkiezing van Miss Knokke-Heist. In de jury zit Betty van *Big Brother*. Na de show geeft ze me mee dat ze geïnteresseerd is in de Miss Belgian Beauty-verkiezing en dat ze bod heeft gedaan aan Crombé van € 500.000,00.

Maandag 8 september 2008

Vandaag krijg ik eindelijk € 25.000,00 gestort op mijn rekening. Mijn advocaat heeft dit bedrag bedongen van de gemeenschappelijke rekeningen. Sinds 27 juni zitten Stéphanie en ik zonder geld. Meteen stort ik de geleende bedragen terug aan mama en aan zus Petra en betaal ik al mijn openstaande rekeningen.

Dinsdag 9 september 2008

Een hoogdag, we hebben eindelijk terug internet thuis. Even vergeet ik de heibel. Het doek die ik op het standbeeld van Crombé heb gehangen is weer verdwenen. Ignace blijft interviews geven zonder ook maar één seconde rekening te houden met zijn dochter Stéphanie. Op de frontpagina van het Nieuwsblad staat: 'Ik wil Patricia een kindje geven'.

Woensdag 10 september 2008

Ik word alweer geschokt door de kranten. De kop van een artikel in het Nieuwsblad luidt : *'Hit me baby one more time'*. Op een karaoke-avond in Egypte zingt Patricia de hit van Britney Spears, een duidelijke verwijzing naar de avond waarop Ignace werd gearresteerd omdat hij Patricia zou hebben geslagen.

Het Laatste Nieuws zet op pagina één : Nieuwe rel rond Miss Belgian Beauty, finaliste blijkt getrouwd. Op pagina drie staat dat kandidate Narmina Huseynova op 14 juni 2008 met een zestien jaar oudere man is getrouwd. Volgens het reglement moeten kandidates ongehuwd en kinderloos zijn. Ignace heeft ondertussen het contract herlezen. 'Er staat niet in vermeld dat ze niet mag huwen tijdens haar deelname aan Miss Belgian Beauty. Op het moment dat ze het contract ondertekende, was ze niet gehuwd. Geen probleem dus, Narmina kan zich rustig verder voorbereiden op de finale.'

Donderdag 11 september 2008

Ik ga uit eten met Patrick in Kortrijk. Patrick heeft me enkele dagen geleden gebeld om nog wat bij te praten. Hij steunt me na de lawine van negatieve persartikels. Niet alleen de scheiding valt me zwaar, ook de onophoudelijke rits aan artikels in de dag – en weekbladen doet mij bijna instorten. Die persaandacht is echt geen kado. Ik heb diep gezeten, andere vrouwen zouden in mijn situatie allicht voor drank of prozac kiezen. Maar ik haal energie uit mijn positivisme, mijn blindelings geloof in een betere toekomst en vooral uit Stéphanie.

Maandag 15 september 2008

De vzw *Agressie Stoppen met Actie* (ASMA) eist excuses van Ignace omdat huiselijk geweld niet om te lachen is. Volgens ASMA heeft Crombé geen respect voor slachtoffers van huiselijk geweld. Daarmee doelt de vereniging op het optreden van Crombés vriendin Patricia. Zij zong op een karaoke-avond *'Hit Me Baby One More Time'* nadat ze beiden het nieuws hebben gehaald met huiselijk geweld. Vandaag reageert Crombé in het Nieuwsblad voor de eerste keer op het huiselijk geweld. Daarin zegt Patricia: 'We zijn nu eenmaal een passioneel koppel, we maken veel ruzie. Dan sla ik met deuren.' Verder verklaart ze 'Hopelijk wil Stéphanie de doopmoeder van ons kind zijn'. Dat wordt zomaar gezegd terwijl Stéphanie geen contact wil. En die Patricia zegt ook nog in het Nieuwsblad 'Ze wist al zo lang dat wij iets hadden, Ignace had haar ook gezegd dat hij haar op een dag zou verlaten voor mij.'

Al die goedpraterij in de pers kan zomaar en ook de idiotie wordt afgedrukt. 'Toen we in Egypte op het strand arm in arm, met onze zonnebril op, liepen, haalden veel Belgen hun fototoestel boven. Ik voelde me net Carla Bruni, de vrouw van de Franse president.'

De laatste dagen verschijnen er in de krant veel lezersbrieven van mensen die het gedrag van Ignace bedenkelijk vinden. Zo schrijft L. Van Renterghem dat hij zelf het slachtoffer is van intrafamiliaal geweld. 'Ik raad mijnheer Crombé, zijn vriendin en de MBB-finalisten aan de Koppen-uitzending van 6 maart 2008 te bekijken. Ik hoop dat zij dan zullen beseffen wat 'een zonnebril en lange mouwen dragen' betekenen voor slachtoffers van intrafamiliaal geweld, en wat een enorme schade het toebrengt aan de kinderen in zo'n gezin. Wij dragen dit trauma heel ons leven mee. Ik sta dus achter de vraag van de vzw ASMA om publieke excuses van Ignace Crombé. Het toont nog maar eens aan hoe oppervlakkig sommige mensen zijn.'

In Dag Allemaal spaart Geert Hoste Ignace niet. In zijn rubriek 'Uit de geheime dagboeken van Geert Hoste' staat: 'Weet je wat zo vreselijk is in ons land? Dat je de indruk krijgt dat Ignace Crombé en Jo Vally succesvoller zijn dan Leterme en De Wever' en 'Zouden er bij de nieuwe Miss Belgian Beauty- kandidates al meisjes zijn die van Ignace een liefdesverklaring via e-mail hebben ontvangen?'

Dinsdag 16 september 2008

Patricia geeft een interview in Dag Allemaal. 'Ik heb tegen Ignace gezegd, ik wil dat je mij betaalt'. Eerlijker kan je niet zijn in een interview. Patricia werkt nu voltijds in de zaak op het appartementje van Ignace en wordt daar nu ook voor uitbetaald. Op de website van Miss Belgium Beauty staat onder haar foto 'organisator'. Govaerts is al na enkele maanden 'organisator', dat zal waarschijnlijk in haar eisenpakket gezeten hebben.

Woensdag 17 september 2008

In TV Familie staat vandaag een artikel met als titel 'Iedereen is bang van Ignace'. Enkele kandidates vertellen anoniem dat ze geen Miss willen worden omdat ze dan een jaar met Ignace moeten werken, anderen uiten hun bezorgdheid over het machtsmisbruik van Ignace. Alweer een sneer voor de organisatie. De negatieve publiciteit houdt niet op. Wanneer zal de verkiezing terug onbesproken zijn. Ik vraag mij af hoeveel mensen zullen aanwezig zijn op de finale op 18 oktober in Knokke.

171

Ik kan de negatieve spiraal van artikels en interviews niet aan en ga 's avonds eten met Christine van *Xantippe*. Ik ween de hele avond.

Donderdag 18 september 2008

Ignace reageert op het karaoke-voorval in Egypte. In Het Laatste Nieuws zegt hij dat hij geen half woord Engels spreekt en dat hij niet verstond wat hij meezong. Ik krijg telefoon van Ann Persiguero, een Miss-finaliste. Ze vraagt mij of ik aanwezig zal zijn op 'De Gouden Twaalf' omdat ze mij zal vermelden in haar speech. Ik zeg Ann dat het voor mij te moeilijk ligt, ze begrijpt de situatie. Toch ben ik benieuwd wat Ann overmorgen tijdens haar persoonlijke speech zal meedelen.

Zaterdag 20 september 2008

Ik spreek om 18u30 af met An, een vriendin die weet dat ik het op avonden als deze heel moelijk heb. Straks start immers de de halve finale van Miss Belgian Beauty in D*omein De Vossenberg* in Hooglede. Straks worden de 19 geselecteerden herleid tot 'De Gouden Twaalf'. De vorige jaargangen was er een aangename spanning voor en achter de schermen. Ik ben niet aanwezig, maar word door vrienden spontaan op de hoogte gehouden via sms'jes. Ik lees met bittere ogen hoe de Miss Belgian Beauty-organisatie verder afbrokkelt. Geen enkele van de 17 ex-winnaressen van Miss Belgian Beauty zijn aanwezig vanavond. Geen Els Tibau, geen Rani De Coninck. Van de peters en meters zijn enkel Nico Mattan, Niels Destadsbader, Anneke Van Hooff en striptekenaar Merho aanwezig. Ook dat is een sterk teken aan de wand. Willy Sommers zingt en daarna komen de meisjes een voor een op het podium. Tijdens haar één minuut-speech maakt de kandidate Ann Persiguero Ignace Crombé compleet belachelijk. '*Beste mensen*', zo begint ze,

'Het mooiste moment tijdens de campagne van Miss Belgian Beauty is de levensles die ik eruit gehaald heb. Ik wens Miriam, Stéphanie, Patricia, de kandidates en ex-kandidates het allerbeste toe. Het zijn sterke vrouwen die

hun moeilijkheden zullen omzetten in positieve energie
en persoonlijke groei. Ik zou Ignace Crombé willen vragen
om dringend tot zelfonderzoek over te gaan, beseffend dat
er naast hem ook andere mensen op de wereld leven. Stop
met het slachtoffer uit te hangen en neem uw verantwoor-
delijkheid! Ik ben een sterke vrouw geworden en zal met
dezelfde principes van respect, vriendschap en correct-
heid verdergaan in mijn leven. Dank u.'

Ik blijf alles via sms binnenkrijgen. Die speech zit vol opge-
kropt verdriet van vele kandidates. Het 600-koppig publiek
reageert verdeeld met applaus en boegeroep. De vernedering
is totaal. Van de 19 blijven er 12 kandidaten over : Sylvie Dewitte, Evi De Lange, Yoni Mous, Laëtitia Zeevaert, Stéphanie Michiels, Sofie van De Sompel, Kimberley De Plucker,
Wendy Volders, Alexandra Ivkovic, Kirsten Mertes, Alis Mi-
néa en Caroline Duflou. Diezelfde avond gaat Crombé door
het lint en vraagt voor een volle zaal dat de journalist van
Het Laatste Nieuws die het slechte nieuws over hem schrijft
wil opstaan.

Crombé zegt:
'Ik heb vooral geleerd dat de pers je kan maken en ook kan
kraken. Ik zal niet alles tegenspreken wat in de pers versche-
nen is. Ik heb fouten gemaakt en ik ben niet beschaamd om
dat te zeggen, ik ben ook maar een mens. Maar de leugens
en de laster die in de media verschenen zijn die grenzen
aan het onovertreffelijke, ongelooflijk tot wat de media in
staat zijn. Ik ga jullie één staaltje vertellen dat ik het de
man in kwestie niet wil onthouden, en daar zit hij, hij mag
even rechtstaan, de journalist bij Het Laatste Nieuws op de
eerste rij heeft het aangedurfd om Willy Sommers 4 keer op
te bellen met de vraag om vanavond toch niet op te treden
en zich niet te linken met zo'n negatieve organisatie. Jon-
gens, met wat zijn we bezig?
Met wat is Crombé bezig?

Op het podium gaat hij verder:
'Nieuwsblad en het Laatste Nieuws, u bent er niet geslaagd
kandidaten thuis te houden, ze zijn met 19 naar Egypte
mee gegaan en ze staan met 19 op het podium.'

Hoe kan Crombé zo uit de bocht gaan. Om 03u40 word ik wakker. Ik kreeg zonet een berichtje van Ann Persiguero.

'Ik stond er! Ben wel helemaal afgebroken door Ignace. Ik ga een moeilijke tijd tegemoet, slaapwel xxx'

Ik bel haar op dat ze mag fier zijn op zichzelf en dat ze met Crombé niet moet inzitten.

Maandag 22 september 2008

De voorbije weken heb ik al een aantal sollicitaties gedaan voor een job om zo de draad weer op te nemen op de arbeidsmarkt. Ik wil vooruit, een nieuwe job in een andere omgeving zou me goed doen. Om 12u heb ik een voorgesprek voor een baan in Brussel. Het betreft een vacature bij een evenementenbureau. Ik hoop dat ik niet afgerekend wordt op mijn leeftijd of op de negatieve bijklank die de naam Crombé met zich meebrengt. Tijdens het interview maak ik een goede indruk, ik kom zelfzeker over en ben verbaal sterk. Volgende week weet ik of ik de betrekking krijg.

Dinsdag 23 september 2008

In een interview met P-magazine zegt de Miss Belgian Beauty-kandidate Ann Persiguero dat Ignace een platte manipulator, een komediant en een respectloze leugenaar is. 'De eerste weken vond ik hem een correcte man. Hij vertelde ons wenend dat zijn huwelijk met Miriam voorbij was, een paar dagen later bleek dat hij al heel lang een affaire had met Patricia. Dan valt dat masker toch af'. 'Patricia betaalt een zeer hoge prijs voor haar drang naar bekendheid', weet Ann. 'Hoe hij over haar spreekt, is om misselijk van te worden.' Crombé zei bijvoorbeeld: 'Aangezien ze van bescheiden afkomst is, kon Patricia zich vroeger minder mooi kleden. Ze komt uit een gewoon gezin en leert nu pas de wereld van de glamour kennen.'

Vrijdag 26 september 2008

Om 18u ben ik op de receptie voor de opening van een nieuw wandelpad in Bissegem. Na die receptie beland ik per toeval bij *De Schutters*, een vereniging van boogschutters in Bissegem. Ik word gevraagd om volgende maandag terug te keren om een kampioen te vieren. Ik heb een echt thuisgevoel en krijg veel steun. Ik had jarenlang geen tijd om hier in Bissegem onder de mensen te komen en geniet ten volle. Enkele jongeren stellen voor om een profiel te maken op Facebook, het wordt 'Vrienden van Myriam'. Mijn naam is foutief met een y geschreven, maar ik vind dat niet erg. Het is de geste die telt.

Zaterdag 27 september 2008

Vanavond is het de allereerste keer dat ik de lokale feesten bijwoon in mijn eigen gemeente. Ik mag in de jury plaatsnemen van de verkiezing van de symbolische Burgemeester van Bissegem en amuseer me rot.
Bijna elke avond surf ik naar Facebook, ik heb ondertussen al 426 vrienden. Ik chat met enkele vrienden en spreek vrijuit over mijn gemoedstoestand.

Maandag 29 september 2008

Ik krijg een telefoontje met niet zo'n leuk nieuws, mijn sollicitatiegesprek van vorige week is goed onthaald, maar ze hebben een jongere dame gekozen. Ik laat het niet aan mijn hart komen, ik blijf solliciteren.

Ik wil mij niet laten gaan, daarom verzorg ik mij goed, ik maak me op, ga af en toe eens naar de zonnebank en probeer te stralen. Maar onder het uiterlijk vertoon verbijt ik de pijn.

Donderdag 2 oktober 2008

Vandaag wordt een uitspraak over het alimentatiegeld voor Stéphanie en mij verdaagd op de rechtbank van Kortrijk.

Alles blijft duren. Wanneer komt er een eind aan de rechtszaak, wanneer weet ik waar ik sta en hoe het verder moet.

Vrijdag 3 oktober 2008

Het theaterstuk *Ladies Night* in de *Capitole* te Gent is af-
gelast. Door een lek in het dak was het te gevaarlijk om te
spelen.
Met de acteurs Kurt Defrancq, Peter Bulckaen en zijn vrouw
bezoek ik een bruine kroeg en het Gents societycafé *The
Sunset*. Om 02u arriveer ik thuis. Het gaat goed met me.

Zaterdag 4 oktober 2008

Ik krijg een sms-berichtje van Kimberly Deplucker, een
Miss-kandidate uit Moerbeke-Waas. In het sms'je zegt ze :

*'Hey Miriam, zou je me asjeblieft het contract van Miss
Belgian Beauty willen doormailen naar mijn mailadres,
sorry van die keer in Blankenberge, groetjes Kimberly'*

Oei, weer iemand die afhaakt. Ja, in *Hotel José* in Blankenberge zette Ignace alle meisjes tegen mij op, hij zei dat ik
onder de pillen en de drugs zat... toen kwamen alle meisjes
naar mij om te vragen of ik het hotel wilde verlaten. Nu
excuseert ze zich daarvoor. Ze beseft dat ik eigenlijk niets
mis deed.

Dinsdag 7 oktober 2008

Het Nieuwsblad pakt uit met de kop: 'Crombé gunt ex geen
cent'.
'Crombé wil geen alimentatie betalen en vindt dat Miriam
maar moet gaan werken.' Ik hoop dat de scheiding netjes
kan verlopen. Het is bedenkelijk dat alle gesprekken, afspraken en procedures in de pers blijven verschijnen.

Ik doe een tweede poging om *Ladies Night* te zien in de
Stadsschouwburg in Antwerpen, ik neem de vrouw van Peter Bulckaen mee en samen beleven we een leuke avond.

Woensdag 8 oktober 2008

Het is alweer een turbulente week. Vorige week kwam de pers te weten dat de Bijzondere Belastingsinspectie € 250.000,00 op een persoonlijke rekening van Ignace heeft gevonden. Het parket van Kortrijk bevestigt dit gegeven. Dit voorjaar heeft de Bijzondere Belastingsinspectie een huiszoeking in ons huis uitgevoerd. Bij het doorlichten van de boekhouding ontdekten de inspecteurs dat € 250.000,00 van het organisatiebureau *Animô* op privérekeningen was gezet. Tijdens de vele pleidooien over de alimentatiegelden van mij en Stéphanie kwam de inval van de BBI in januari 2008 al ter sprake. De inspectie blokkeerde de rekening. Crombé heeft de afgelopen maanden een regeling getroffen met de fiscus om het geld terug te storten en de nodige belastingen te betalen. Alles is ondertussen geregeld.

Om 21u19 stuurt Crombé stuurt mij een berichtje waarin staat:

'*Hopelijk durf je nu je boekhoudkundige wanpraktijken toegeven in de media, jou zullen ze vervolgen en terecht.*'

Ik lach eens goed en besluit het berichtje bij te houden. Hoe is het mogelijk. Hij leeft blijkbaar nog en heeft mij altijd nodig als pispaal.

Donderdag 9 oktober 2008

In de Gazet van Antwerpen staat een artikel met als titel 'Crombé verdacht van fiscale fraude'. Crombé zegt dat hij zich al jarenlang niet met de boekhouding bezig hield en dat het uitsluitend mijn taak was. Voorts durft hij te stellen dat ik alle verantwoordelijkheid had voor het financiële reilen en zeilen.
In Het Nieuwsblad gaat Ignace verder met zijn zwartmakerij. 'De belastingontduiking is de schuld van Miriam', zegt hij. 'Van het financiële heb ik me nooit iets aangetrokken. Dat was Miriams taak, ik ben zelf voor het eerst een bank binnengegaan toen de scheiding werd ingezet.'

Ongelooflijk dat hij zo'n dingen blijft rondroepen. Hij is zaakvoerder en bijgevolg verantwoordelijk voor het bedrijf. Ik handelde altijd in zijn opdracht en met medeweten van hem. Ignace moest altijd van alles op de hoogte zijn, zo zit hij in elkaar: hij kan niets uit handen geven, laat staan delegeren.

Maandag 13 oktober 2008

Ik krijg een nieuw bericht van Kimberly Deplucker

'Hey Miriam! Ik heb met Ignace een gesprek gehad, en we zijn overeen gekomen dat ik om medische redenen stop. En dat ik tegenover de pers achter de organisatie blijf staan. Ik zal dan ook aanwezig zijn op de finale en bij de organisatie zitten. Groetjes Kimberly'

Een duidelijk bewijs dat de meisjes mij in het hart dragen, maar ook het bewijs dat Crombé ze onder druk zet.

Dinsdag 14 oktober 2008

Nadat ik al verschillende keren en uitdrukkelijk heb gevraagd om te stoppen met interviews over mijn privéleven te geven, blijft Ignace de onwaarheden de wereld insturen.

In Dag Allemaal bazuint Crombé uit dat ik € 5.000,00 alimentatie en nog eens € 500,00 voor Stéphanie eis met terugwerkende kracht tot juni 2008.

Ignace wil niets betalen, hij vindt dat ik moet gaan werken, voor Stéphanie wil hij € 350,00 ophoesten. Ik wil wel werken hoor, ik heb zelfs al gesolliciteerd, maar zo'n echtscheiding kan ik niet zomaar eventjes onverwerkt langs de kant schuiven.

In het artikel roept Crombé verder. 'Miriam doet niets anders dan paraderen, heeft ze eigenlijk al ergens gesolliciteerd? Bij Miriam draait het alleen maar om geld.' Ja, ik heb al gesolliciteerd en neen, bij mij draait het niet om het geld. Ik heb 25 jaar lang dag en nacht gewerkt voor ons bedrijf, ik heb er echt veel voor gelaten, mezelf weggecijferd en mijn hele leven in functie van Ignace ingedeeld. Ik word nu als een wegwerpproduct aan de kant gezet, ik word in de media door Ignace als een paria behandeld: dat is allemaal niet fijn.

Crombé blijft doordrammen. 'Miriam heeft een voorstel gedaan waarin zij de grote slokop was, maar ik heb geweigerd te ondertekenen', beweert Crombé. Hij vergeet natuurlijk eerlijk te zijn. We waren allebei in aanwezigheid van onze advocaten akkoord met de uitvoerig besproken verdeling, alleen de papieren moesten nog getekend worden, het was Crombé die tot 2 maal toe niet kwam opdagen.

Als klap op de vuurpijl verschijnt er vandaag in P-magazine een undercover dossier. Finaliste Kirsten Mertes maakt daarin bekend dat ze zeven maanden lang undercover werkte voor P-magazine. In het weekblad brengt ze het verhaal van de Miss Belgian Beauty organisatie en vooral van de organisator Crombé. Ik val compleet uit de lucht.

In P-magzine zegt Kirsten : 'Mijn campagnes, maar jouw winkel, onze ijverige inzet, jouw spaarpot, je incasseert genadeloos op meisjesdromen en geeft nauwelijks iets terug.'

In de interviews die Kirsten geeft hakt ze hard in op Crombé. 'Dit was de enige manier om aan te tonen wat voor een meester-manipulator Crombé wel is', formuleert Kirsten. 'Ignace gedraagt zich bij momenten echt als een bullebak, zo schold hij enkele meisjes eens uit voor hoertjes. Van dat soort scheldpartijen gebeurden wel vaker.'

'Ignace stalkt zijn missen constant met mails en sms'en. In zeven maand kreeg ik meer dan 600 mails. Zelfs midden in de nacht stuurde hij berichten en als je niet meteen antwoordde kreeg je een strenge reply: 'Antwoord per kerende post aub, dank Ignace.'

'Hij schrijft in zijn mails dat we niet met de pers, niet met Miriam en niet met zijn dochter mogen praten. De stroom mails is plots gestopt toen Ignace met zijn vriendin Patricia samen was.'

'Heel veel meisjes wilden uit de verkiezingen stappen, maar dan dreigde hij met het contract dat iedereen had ondertekend. Wie uit de verkiezing zou stappen, moest een schadevergoeding van € 1.500,00 betalen.'

Kirsten geeft ook een boek uit over haar undercoverwerk, *Operatie Missmaker* ligt volgende week in de boekhandel. Mocht ik Crombé zijn ik zou niet meer buiten durven komen of een wereldreis van twee jaar plannen.
Ik stel mij drie pertinente vragen. Waarom geeft Ignace nog interviews? Waarom liegt hij en waarom trapt Ignace altijd publiekelijk na in die interviews? Hij weet heel goed wat ik allemaal voor hem en onze organisatie heb gedaan. Hij weet dat ik nooit op de voorgrond heb willen staan. Ik werkte steeds achter de schermen, stond voordien nooit op een foto heb nooit interviews willen geven. Ik heb hem altijd laten doen wat hij wilde doen: omgaan met jonge vrouwen. Waarom maakt hij het mij moeilijk om alles te regelen. Ik had geen lief, ik ben niet vertrokken, ik heb momenteel geen werk meer. Hij heeft momenteel alles: zijn job, mijn job, zijn lief en zijn uit lucht gebakken geluk. Dus waarom gunt hij mij nu geen rust?

In Het Nieuwsblad reageert Geert Hoste op de figuur Ignace Crombé. 'Ik heb die man eind jaren tachtig voor het eerst ontmoet. En toen al had ik er genoeg van. Elk jaar krijg ik wel de vraag van een van zijn kandidates om peter te worden, maar ik heb dat altijd geweigerd. Ik vind het ook schandalig dat alle BV's die het wel deden, zich nu niet kwaad maken. Ze zouden al het geld dat die meisjes in de verkiezing hebben gestoken recht in Crombé zijn reet moeten schuiven. Emotioneel had ik hem al lang uit mijn conference geschreven. Maar het publiek wacht op die klappen rond zijn oren.'

's Avonds praat ik met Stéphanie en vraag haar of ze de finale wil bijwonen. Ikzelf weet dat als ik ga ik weer voor een pers-revolutie zorg en besluit daarom niet te gaan. Stéphanie heeft geen zin.

Donderdag 16 oktober 2008

Omdat Ignace al twee keer niet opdaagde om in samenspraak met onze advocaten een overeenkomst te tekenen is mijn raadsman Arnold Gits naar de kortgedingrechter gestapt. We hebben de indruk dat Crombé de echtscheidingszaak tracht te vertragen. Daarom kiezen we voor een versnelde procedure. We willen in afwachting van de effectieve echtscheiding heel snel een duidelijke regeling treffen over het alimentatiegeld en het bezoekrecht. Mijn advocaat vordert een bedrag van € 5.000,00 per maand, een bedrag dat gebaseerd is op onze levensstandaard en de bezittingen van Crombé. Het vonnis wordt uitgesteld naar 30 oktober.

Vrijdag 17 oktober 2008

Zowat alle kranten blikken gniffelend vooruit op de finale. In de Krant van West-Vlaanderen geven prominenten commentaar op Crombé. Bernard Buysse, een oud medestudent noemt hem 'een persgeile vos die het deksel op de neus krijgt'. Ik besluit geen krant meer te openen vandaag.

Zaterdag 18 oktober 2008

Vanavond wordt voor de 18de keer Miss Belgian Beauty gekozen tijdens een grote finale in Knokke. Ikzelf heb het moeilijk, maar ik weiger aanwezig te zijn, ik heb een degoût van de mediaspelletjes van Crombé en wil hem na al wat hij mij heeft aagedaan – de buitenechtelijke affaires, de aanvallen in de pers, maar ook het steeds maar uitstellen van de scheiding en dus ook het begin van mijn nieuw leven – lijfelijk niet meer zien.

20u. Ik ben uitgenodigd op het UNIZO-feest in Wevelgem. Stéphanie is met vrienden uit in Kortrijk. Op het feest krijg ik ongevraagd sms'jes van aanwezigen en genodigden op de Miss Belgian Beauty-finale. Eentje zegt:

'Weinig volk, geen sfeer, weinig BV's'

181

Met de negatieve berichten ben ik niet opgezet, ondanks alles zou ik willen dat Miss Belgian Beauty en succes blijft. Een ander sms'je zegt:

'Wat een klucht...'

Wat een groots feest moet worden is een mak evenement. In de halfvolle zaal zitten geen meters of peters, geen ex-missen, geen bekende gezichten en amper een paar honderd aanwezigen. Cynthia Reekmans, de Miss Belgian Beauty 2005 presenteert de avond aan elkaar en in de jury zitten Betty Owczarek, Filip Meirhaeghe, zangeres Afi, David Davidse en Mike Verstraeten. Dit jaar zijn er amper 380 kaarten verkocht. Nooit eerder was het zo'n fletse finale. De vorige jaren controleerden hostessen de inkomkaarten en werden de gasten mooi begeleid naar hun tafel, vanavond zit Ignace met zijn Patricia zelf aan een tafeltje om de tickets te controleren. In de schaduw van alle commotie van de laatste maanden zou je nog vergeten wie de nieuwe Miss Belgian Beauty is. Yoni Mous, een studente kinesitherapie van 22, mag zich de volgende 12 maanden Miss Belgian Beauty noemen. Rond 01u stuurt Stéphanie een berichtje 'Ik ben op weg naar Knokke'. Ik schrik en bel haar op. 'Mijn gevoel zegt dat ik daar moet zijn', reageert Stéphanie, ze kent de meisjes, ze kent de medewerkers, ze kent de verkiezing. 'Pas op voor de pers', zeg ik. 'We hebben al genoeg meegemaakt!'. Toch sta ik toe dat ze naar Knokke rijdt omdat ik hoop dat de relatie tussen Stéphanie en haar vader misschien vanavond wat opflakkert. Ze heeft haar pa sinds de kusttoernee op 3 augustus in Zeebrugge niet gezien en gehoord. En in tegenstelling tot wat Crombé al weken en maanden suggereert heb ik nooit verboden dat Stéphanie haar vader belt, schrijft, mailt of bezoekt. Integendeel. 'Maak je geen zorgen, ik hou van je', besluit Stéphanie haar telefoontje. Ik heb de hele nacht contact met Stéphanie via sms:

02u09:
'Ik ben er, ga bijna naar binnen, maak je asjeblieft geen zorgen, ik red mij wel x'

02u10:
met wie ben er je?
sms ik

02u45:
Met Steven en vriendin, ik weet niet wanneer ik naar huis kom, wees niet bang x

02u52:
je moet niet wakker blijven. Steven voert ons. x

02u57:
maak je geen zorgen. Slaap nu maar. x

Ik kan natuurlijk niet slapen. Om 04u komt Stéphanie thuis. Ze doet haar verhaal. Ze is zonder kaart binnengeglipt langs de dienstingang. Toen ze door een bodyguard werd betrapt heeft ze Ignace erbij geroepen. Crombé zei dat als ze geen kaart had, ze niet binnen kon. Stéphanie reageerde met de zin 'ja, maar ik heb toch geen kaart nodig, allez zeg'. Crombé werd enigszins rustig en zei: 'Ik wil graag met jou en je mama rond de tafel zitten om alles te lossen'. Vader en dochter hebben dan kort met elkaar gepraat.

Dat laatste onthoud ik, het is belangrijk niews, hopelijk wil Crombé alles rustig bespreken en de scheiding niet tegenhouden. Ook zijn hernieuwd contact met Stépahnie verblijdt mij.

Zondag 19 oktober 2008

In Het Nieuwsblad beweert Ignace dat hij 4 kandidaten heeft om onze organisatie over te nemen. Eén BV, een financiële groep en twee evenementenbureaus. Hijzelf ziet het wel zitten om persoonlijk mee overgenomen te worden door een kandidaat. Anderzijds geeft Ignace aan dat hij een sabbatjaar wil inlassen of er zelfs volledig de brui aan wil geven.

Ik kan de organisatie nog niet loslaten en volg alles op.

Dinsdag 21 oktober 2008

Op de cover van P-magazine staat de aankondiging van het tweede deel van de undercover-operatie van Kirsten Mertes. 'De waarheid over Ignace Crombé, zijn huilbuien, zijn driftbuien, de chantage.' De bittere saga blijft duren. In het boek van Kirsten, *Operatie Missmaker*, schreef Goedele Liekens het voorwoord. 'Na het lezen van dit boek rest van deze schoonheidswedstrijd niets meer dan schone schijn'. Ik moet slikken. In het boek zelf nuanceert de schrijfster niets.

Dinsdag 28 oktober 2008

Het derde deel van de undercover-reportage van Kirsten Mertes verschijnt in de P-magazine. Daarin kom ik meer te weten over de verhouding tussen Ignace en Patricia. Ik citeer even:

'Ge zou u beter wat nuttig maken in plaats van boekskes te lezen' tiert een losgeslagen Crombé richting Patricia wanner ze tijdens de repetitie het waagt de P-magazine te lezen. Het kind is zo van haar melk dat ze het op een lopen zet. Ze doet dat wel vaker. Meestal komt ze ook meteen weer terug. Dit keer staat ze echter resoluut op en neemt afscheid van de groep. 'Dag meisjes, tot nooit meer!', gilt ze met haar hoog piepstemmetje. De situatie is zo gênant dat de meeste finalisten besluiten zich niet te moeien. Crombé doet alsof er niets aan de hand is en blijft onverwoestbaar op zijn plek zitten. Wat bijzonder ongewoon voor hem is. Andere keren loopt hij immers als een kip zonder kop achter zijn vluchtende Patricia aan.'

Het stuk in P-magazine is vernietigend. Ik wist tot op vandaag niets over de inhoud van de verhouding tussen Patricia en Ignace, maar dat de conversaties en de communicatie tussen hen zo fout zit, had ik nooit gedacht. Met verbazing en verbijstering lees ik verder in P-magazine.

'Wanneer een dag later het nieuws van het incident in de

krant staat, is de maat voor Crombé helemaal vol. Crombé is pisnijdig. "Wacht maar tot ik ontdek wie deze keer de mol is!"'

'Dezelfde avond is Patricia al terug. Niet voor lang echter. Wat later komt het immers tot een woordenwisseling in de tourbus. "Je bent gek! Ik ben blij dat ik binnenkort eindelijk van je af ben!" roept Patricia plots. "Ik hou het al zo lang vol, ik wil al maanden van je weg. Binnenkort is het afgelopen!" roept ze nog terwijl ze naar achter in de bus loopt. Ignace holt haar achterna. De finalisten staren elkaar vol ongeloof aan, schuiven wat dichter bij elkaar uit angst in eventuele klappen te delen. De ruzies zijn erg geweest de voorbije maanden, maar zo hebben ze Ignace nog nooit gezien.'

Kirsten reconstrueert een gesprek tussen Ignace en Patricia op de bus in de aanwezigheid van alle finalisten, een week voor de grote finale in Knokke. Ik word stil van de toon, de brutaliteiten en het gebrek aan respect.

"Ben je misschien berichtjes naar andere mannen aan het sturen? Mag ik daarom je gsm niet zien?"
"Ach onnozel ventje, je hebt zelf een persoonlijke favoriete."
"Jij bent de oorzaak van mijn breuk met Miriam. Je moest en zou me krijgen. Je hebt me bijna gestalkt! Je hebt me weggehaald van mijn familie. Je hebt mijn verkiezing kapotgemaakt."
"Ignace, ik deed alles voor jou. Ik sliep op de sofa bij een vriendin om je 5 minuutjes te kunnen zien. Is dit wat ik terugkrijg van je?"

Kirsten zegt dat sommige kandidates kinderachtig duw- en trekwerk hebben gezien, dat Patricia wenend in de bus bleef zitten en dat Ignace haar gsm had afgepakt. Volgens Kirsten is de gedoodverfde favoriete finaliste geboycot omdat Patricia haar niet mocht. Ik heb hier geen woorden voor.

In Het Belang van Limburg wordt gesuggereerd dat Betty de mogelijke opvolgster wordt van Crombé.

Donderdag 30 oktober 2008

Probleem 1 is van de baan, nu nog zo snel mogelijk de effectieve scheiding afronden. De rechter beslist in kortgeding dat Ignace mij maandelijks een onderhoudsbijdrage van € 2.000,00 moet betalen en maandelijks alimentatiegeld € 500,00 moet neertellen voor Stéphanie. Dit is een voorlopige regeling tot de echtscheiding ten gronde is uitgesproken.. Tot dan blijven wij voorlopig in de villa in Bissegem wonen. Mijn advocaat zegt me dat het wel eens januari 2009 zou kunnen worden. Ikzelf wil niet ingaan op aanvragen voor interviews, ik reageer liever niet op de hele heisa.

Vrijdag 31 oktober 2008

Vandaag krijg ik een aangetekend schrijven van advocaat Joseph Allijns waarin uitdrukkelijk gevraagd wordt om mijn bedrijfswagen binnen de 48 uur in te leveren bij Crombé.

Geachte Mevrouw,

Ik ben de raadsman van de bvba Animô met zetel te Stassegem.

Op duidelijk verzoek van mijn mandante wordt U aangemaand om de wagen Saab Cabrio binnen de 48 uur vanaf postdatum van onderhavig schrijven ter beschikking te stellen van de vennootschap.

Het zal duidelijk zijn dat goederen van de vennootschap en zeker rollend materieel niet zomaar gratis ter beschikking kunnen gesteld worden.

De procedure tot afgifte verloopt misschien het best als volgt: door overhandiging van de sleutels én afgifte van de wagen op de maatschappelijke zetel van de vennootschap.

Vanaf donderdag 6 november 2008 loopt er een gebruiksvergoeding van 450 euro per dag.

186

Zo de afgifte van de wagen en de sleutels niet is gebeurd binnen het bovenvermelde tijdstip zal een procedure ingeleid worden door de bevoegde rechtbank.

Onder voorbehoud van alle rechten, zonder de minste nadelige bekentenis, noch verzaking.

Inmiddels, teken ik,

Met de meeste hoogachting
Joseph Allijns

Is dit en grap. Ik word even niet goed. Ik heb al 25 jaar gewerkt voor deze wagen en hoe moet ik Stéphanie nu rondvoeren? Ik zoek werk en heb die wagen nodig. Ik bel met mijn advocaat, hij beslist om de wagen te behouden. Crombé vraagt een prijs van € 450,00 plus btw per dag, dat terwijl ik al een auto kan huren voor € 50,00. Hoe durft hij, is die man niet beschaamd?

Maandag 3 november 2008

Ik ga solliciteren bij een evenementenbureau. Ik maak me goed op, probeer mijn ogen te doen stralen, verstop mijn leeftijd en pep mezelf op.
Hopelijk lukt het me vandaag. Ik heb echt zin in een job, een nieuwe uitdaging en een nieuwe wending in mijn leven. Het is broodnodig, ik wil uit mijn vicieuze cirkel kruipen. Het sollicitatiegesprek verloopt goed. Ik kan uitpakken met bijna 25 jaar ervaring, ik heb organisatietalent en ben bedreven in boekhouden en administratief werk. Ik heb een goed gevoel als ik in mijn wagen stap, toch blijf ik onzeker.

Donderdag 6 november 2008

Crombé speelt het spelletje hard. Vandaag stopt hij eigenhandig een eerste brief in de bus met daarin een factuur van € 544,50 om de bedrijfswagen te gebruiken. € 450,00 plus € 94,50 btw. Dat Crombé zich zo laat kennen.

Vrijdag 7 november 2008

Het Kortrijks Handelsblad is te weten gekomen dat Ignace mijn auto terugeist. Ik blijf razend. Mijn advocaat krijgt een brief dat ik mijn auto moet inleveren. Ik vind het mensonterend dat Ignace de Saab terug wil. Die wagen is een deel van de zaak, en ik werk al 25 jaar voor de zaak.

Zondag 9 november 2008

Ook op deze heilige rustdag stopt Mister Crombé met zijn wagen voor mijn woning, hij stapt uit en deponeert een nieuwe brief in de bus. In de omslag zit een factuur van € 1.633,50, de gebruiksvergoeding van de wagen voor vrijdag 7 november, zaterdag 8 november en zondag 9 november. Hoe is het mogelijk dat deze meneer zo laag is gevallen.

Maandag 10 november 2008

Mijn advocaat laat weten dat de echtscheidingszaak ten vroegste in februari 2009 wordt gepleit. Mijn hele dag is een zwarte dag.

Ik krijg een brief naar aanleiding van mijn sollicitatie vorige week. Het verdict doet mij enorm veel pijn: 'Naar aanleiding van uw sollicitatie voor de functie van boekhoudster bij ons bedrijf moeten wij u melden dat wij uw kandidatuur helaas moeten weerhouden. Wij zijn van mening dat uw privé-problemen – de op handen zijnde scheiding tussen u en mijnheer Ignace Crombé – en allerhande publicaties in de media voor ons bedrijf schadelijk zouden kunnen zijn.' Ik heb mijn leeftijd tegen, het is een sombere economische periode en ook de naweeën van de soap spelen mij parten. Ik voel mij echt aan de kant gezet. Ik hoop dat ik emotioneel en mentaal de veerkracht zal terugvinden om mij op de arbeidsmarkt te gooien. Maar ik geef de moed niet op, ik wil graag werken en zal blijven solliciteren.

Vrijdag 14 november 2008

De soap in de soap gaat verder. Want ook deze morgen spaart Crombé een postzegel uit, hij rijdt weer eens van zijn appartement in Stassegem naar Bissegem, om een nieuw factuur in de bus te stoppen. Ik moet binnen de week een som betalen van € 2.722,50 omdat ik de wagen 5 dagen heb benut: op maandag 10 november, dinsdag 11 november, woensdag 12 november, donderdag 13 november en vrijdag 14 november. Mijn advocaat stelt mij gerust, we betalen de som niet.

Zondag 16 november 2008

De facturen blijven binnenstromen maar mijn advocaat protesteert alle reeds ontvangen en nog te ontvangen facturen. Zoals elke zondagavond kijken Stéphanie en ik naar de week van LouisLouise op vtm. Aansluitend gaan we slapen want morgen begint een nieuwe schoolweek.

Dinsdag 18 november 2008

Dag Allemaal schrijft dat Crombé via zijn advocaat mijn auto opeist. Gelukkig voor Crombé staat zijn vraagprijs niet in Dag Allemaal.

De laatste maanden heb ik fragmenten uit enkele verschenen interviews in mijn dagboek genoteerd omdat ik de aaneenschakeling van alle gebeurtenissen niet wens te minimaliseren. Het is hallucinant wat mij tot op vandaag is voorgevallen. Af en toe lees ik wat er in 2006 en 2007 allemaal is gebeurd. Het is een scenario van een slechte film zonder *happy end*. Mijn verdraagzaamheidsgrens is nog nooit zo met de voeten getreden.

Woensdag 19 november 2008

Ik heb een afspraak met de kapper, morgen komt de zaak voor op de rechtbank. Crombé zal aanwezig zijn, daarom wil ik er heel goed uitzien.

189

In de Gazet van Antwerpen staat een groot artikel. 'Ignace Crombé weigert alimentatiegeld te betalen aan zijn (bijna) ex-vrouw Miriam en hun dochter Stéphanie. Bovendien eist de organisator van de Miss Belgian Beauty wedstrijd hun gezamenlijke auto op'.

Woensdag 3 december 2008

Morgen daagt Crombé mij voor de rechtbank, hij wil zo vlug mogelijk scheiden. Dat treft, want ik wil ook zo snel mogelijk scheiden. Ik heb de echtscheiding al ingeleid in juni via mijn advocaat en nu wil Crombé – zes maanden later nota bene - via deze techniek de indruk scheppen dat hij de eerste is.

Donderdag 4 december 2008

Om 08u50 arriveer ik op de rechtbank van Kortrijk. Crombé staat aan het portaal van de rechtzaal met Patricia Govaerts. Ik voel niets meer, geen opwinding, geen boosheid, geen onrust. Ik reageer gelaten. De voorbije maanden stond Crombé bijna dagelijks in de krant, maar het is lang geleden dat ik hem live heb gezien. Dat zijn lief mee is vind ik pure provocatie. Als je gezond verstand hebt, doe je zoiets niet uit respect.

Om 09u stap ik de rechtszaal binnen, Patricia wandelt naar een café tegenover de rechtbank. Crombé komt naast mij zitten. Hij is heel nerveus en zit constant te sms'en en te bellen. We moeten naar voor komen en staan samen voor de rechter, hij vraagt of er nog een verzoening mogelijk is. Ik zeg dat het onmogelijk is. Crombé reageert. Hij wil naar eigen zeggen nog rond de tafel zitten om alles in der minne te regelen, maar niet als alles naar één persoon gaat. Hij beschouwt mij als de slokop die alles krijgt. Hij fluistert de rechter ook toe dat het de normaalste zaak ter wereld is dat mensen scheiden. Ik stem daarmee in, maar confronteer Crombé met zijn banaal gedrag van de laatste maanden. 'De manier waarop jij de scheiding aanpakt is niet de normaalste zaak van de wereld', zeg ik. De rechter geeft te kennen dat hij vindt dat ik een goede analyse maak. Ik wandel rustig de rechtszaal uit, kruip in mijn wagen en zet Q-Music loeihard op. Ik vlucht in de muziek van de zangpartijen van Beyoncé en Marco Borsato.

Om 11u geef ik een interview aan Het Laatste Nieuws. In de top 100 van 2008 sta ik op de 19de plaats. Ik geef een sereen interview en ga niet in op de sensatieonele verhalen die Crombé de wereld instuurt.

Dinsdag 9 december 2008

In Kortrijk start het proces dat Crombé inspande tegen de drie voormalige finalisten van Miss Belgian Beauty. Jolien Barbier, Katrien Goris en Caroline Vandewijver stapten uit de wedstrijd omdat die volgens hen niet eerlijk verliep. Crombé eist nu € 1.500,00 van elk wegens contractbreuk. Als tegeneis eist het drietal elk € 3.000,00 plus het geld ze betaalden met de kaartenverkoop van de halve finale en de finale van Miss Belgian Beauty.

Ik ben aanwezig in de rechtszaal, Crombé niet. De uitspraak volgt op 6 januari 2009. Na de rechtszaak stap ik het café binnen tegenover het gerechtsgebouw. De uitbaatster herkent me en zegt me dat Ignace daar donderdag 4 december woedend binnenstapte en Patricia oppikte. Zijn woede verraadt mijn gelijk.

Zondag 14 december 2008

Crombé is aanwezig op het Sportgala van de VRT. Ik begrijp niet dat hij nog de kans krijgt om naar gala's te gaan. Dat gaat er bij mij niet in. Maar in de commentaarteksten lachen ze hem uit: 'Crombé met zijn mooi afgetrainde lichaam'. Ik kan er mee lachen. Ik heb totaal geen gevoel meer voor hem, ik wil hem nooit meer terug. Fantastisch, leven zonder een man die je constant verwijten naar het hoofd slingert!

Maandag 15 december 2008

De vraag dringt zich op hoe de gemeenschappelijke goederen straks verdeeld worden. Daarom is er vandaag in ons huis een inventaris-opname van de goederen door de notaris. Zijn aanwezig om 14u15: ik, Crombé, onze twee advocaten, de notaris en een klerk. Crombé is hier maanden niet binnen geweest.

Er is geen sprake van een dialoog. Crombé laat zich weer van zijn mooiste kant zien. Hij trekt alle deuren en kasten open en gaat in de zetel zitten om rond te kijken of er niets is verdwenen. Het is alsof ik de grote boosdoener ben, terwijl ik net het slachtoffer ben. Crombé doet zich altijd voor als de dupe is. Hij is een echte manipulator.

Alle messen, alle vorken, zelfs de P-Magazines die in het krantenbakje zitten, 8 steakborden, een shaker, een sierbord, een televisie, een asbak, een bijzettafeltje, een krantenhouder, werkelijk àlle goederen worden één voor één opgetekend. Het is ongelooflijk. Ik lees op de notulen het volgende:

Twee kussens zilver geborduurd, 6 P-magazines, een boek 'Teamwork telt dubbel', 'Topmannequin 2007', het boek 'Op kot met Tante Kaat', 'De missmaker' (het boek van de undercoverjournaliste) Een asbak met zes bloemen, 1 dvd 'Sara', 7 kaders met foto's, 5 video's zonder titel, 1 dvd 'Failure to launch'...

En zo gaat het nog even door. Ter plaatse verwijt Crombé mij dat ik dik en lelijk ben. 'Je zal nooit een vent vinden', roept Crombé. Mijn advocaat hoort het gesprek en fronst zijn wenkbrauwen. Hoe laag is die man eigenlijk gevallen. Ik begrijp echt niet waarom hij zo reageert. Hij weet dat ik opkom voor mijn deel, hij weet dat ik me niet meer op mijn kop laat zitten. Maar dat meneer Crombé toch menselijk en hoffelijk blijft! Hij was de eerste die onze scheiding discreet zou communiceren en kijk eens wat er sindsdien allemaal in de pers is verschenen. Crombé blies van de toren dat het geen vechtscheiding zou worden. En kijk eens waar we nu staan! Onbegrijpelijk. En waarom moet hij mij nog verwijten maken? Dat ik lelijk en dik ben? Wat kan hem dat schelen? Met zijn agressief taalgebruik probeert hij mij in de put te krijgen, maar dat zal hem niet lukken, ik voel mij te goed.

Als alles genoteerd is, moeten we gezamelijk naar de notaris. Bij hem wordt het overzicht van de inventaris uitgeprint
en getekend. Aan de hand van deze inventaris wordt later
overgegaan tot de eigenlijke verdeling.

's Avonds probeer ik de horror van deze middag te vergeten. Ik ga zoals al weken is afgesproken met Patrick naar
de première van *Wit Licht* de film van Marco Borsato in
de Metropolis te Antwerpen. Na de film mag ik even met
hoofdrolspeler Marco Borsato op de foto. Ik vergeet even
mijn miserie.

Dinsdag 16 december 2008

De confrontatie en de inventarisatie gisteren deed mij geen
deugd, ik heb de hele nacht wakker gelegen. Ik hoop dat ik
de tapijten en enkele spullen mag houden die een emotionele waarde hebben voor mij.

Ik ben echt ziek vandaag. Ik kom te weten dat Crombé mijn
buren heeft gezegd dat hij het echtelijk huis zal verkopen.
Bovendien heeft Crombé aan zijn advocaat meegedeeld dat
ik illegaal werk. Wat een onzin. Ik heb mijn buurman Bertrand ooit één keer geholpen. Hij heeft een frituur en moest
oliebollen bakken in een bejaardentehuis. Bertrand vroeg of
ik wilde bijspringen. Ik heb geen moment getwijfeld om de
bejaarden te helpen. Volgens Ignace is dat zwartwerk. Arme
man.

Woensdag 17 december 2008

De kranten pakken uit met het artikel 'Standbeeld van
Crombé gestolen uit voortuin'. Het bronzen beeld weegt 120
kilo en is 1,80 meter groot. Ik zit er voor iets tussen. Ik krijg
een sms'je van Patricia Govaerts:

*'En was 't plezant gisteren? Wij vinden het nu plezant dat
jullie stunt niet gelukt is. Belachelijk w...! :)'*

Nu, de stunt is natuurlijk wel gelukt. Zou 'w...' staan voor
'wijf'? Goed gevonden. Patricia staat trouwens niet onder

de naam Patricia in mijn gsm, maar onder 'trien'. Telkens ze een sms'je stuurt staat er 'trien' op mijn schermpje. Ik probeer alles te relativeren, maar Patricia heeft mij ook al dingen naar het hoofd gegooid die erger zijn dan 'trien'.

Donderdag 18 december 2008

Ik wil echt aan de slag. Onder de mensen komen, werken, zinvol bezig zijn. Vandaag heb ik een nieuwe sollicitatie bij een bank in Bissegem. Ik ben boekhoudkundig onderlegd en heb mijn ervaring mee. Het gesprek valt mee, maar toch speelt mijn leeftijd mij parten. Het is niet makkelijk om te voelen dat ik moeilijk kan meespelen op de arbeidsmarkt. Het stemt mij zeer droevig. Ik heb heimwee naar bvba *Animô*, daar had ik werkzekerheid, daar lag mijn hart. Nu is die werkzekerheid mij ontnomen en daar heb ik het enorm moeilijk mee. Na diverse sollicitaties merk ik dat mijn toekomstmogelijkheden niet zo groot zijn.

Zondag 21 december 2008

'Het standbeeld van Crombé werd gestolen door Geert Hoste', staat vandaag in de zondagkranten. Het bronzen standbeeld voor onze woning is verdwenen. Geert Hoste heeft het voor een televisiegrap ontvreemd, het beeld ligt onder een deken in mijn garage. Ik was op de hoogte van de stunt, de grap wordt uitgezonden in de laatste aflevering van 'Het jaar van de geit', het drukbekeken programma van Geert Hoste.

Vannacht vertrek ik op reis naar Egypte om er een weekje uit te rusten, dat zal me goed doen.

Dinsdag 23 december 2008

In Dag Allemaal verschijnt een artikel naar aanleiding van de verdwijning van het standbeeld. 'Miriam wil mij belachelijk maken', zegt Crombé furieus. 'Ze gaat haar boekje te buiten'. Dit tart alle verbeelding, het is gewoon een onschuldig grapje. In hetzelfde artikel in Dag Allemaal staat in een kaderstukje dat ik 'opnieuw gelukkig' ben. Er staat letterlijk: Miriam geniet ondertussen van het leven. Aan de zijde van Laura Lynn-ontdekker Patrick Vandewattijne kwam ze vorige week naar een feestje. 'Hij is een héél goeie vriend', aldus Miriam.

Ik krijg een telefoon van Patrick met de vraag of ik de Dag Allemaal heb gelezen. 'Onmogelijk Patrick, ik zit in Egypte', antwoord ik. 'Er wordt gesuggereerd dat wij een koppel zijn', deelt Patrick mee. Ik ken Patrick al 5, 6 jaar, we zijn de laatste maanden samen iets gaan eten en 2 weken geleden waren we present op de première van de film *Wit Licht*, en nu wordt er in een artikel gesuggereerd dat ik iets met hem heb!? Ik voel mij gepakt in mijn privacy. Stel dat ik inderdaad iemand heb leren kennen en dat we nu al enkele weken aan het daten zijn, hoe zou die man reageren als hij nu leest dat ik iets beleef met Patrick. Ik ben verontwaardigd. En eerlijk, er past nog geen nieuwe liefde in mijn leven. Ik zit nog in mijn rouwproces. Ik heb de laatste maanden heel veel gelezen over verdriet en verwerking van pijn. Er zijn vijf fasen van rouw. De eerste fase, de ontkenning duurde bijna 2 jaar. De tweede fase, het protest heb ik nog maar onlangs afgesloten. De derde fase, het vechten probeerde ik heel lang vol te houden. In de vierde fase, de depressie ben ik gelukkig nooit gesukkeld. Momenteel zit ik in de vijfde fase, de aanvaarding. Maar ik zal pas echt vrij in mijn hoofd zijn na de uitspraak van de scheiding. Dan pas zal ik mijn hart kunnen openen voor een nieuwe liefde. En ik zal pas een relatie starten als ik merk dat Stéphanie er klaar voor is en een *go* geeft aan mij!

Woensdag 24 december 2008

Ik vier kerstavond samen met Stéphanie en 1.200 genodigden in een mooie tent onder de sterrenhemel in Egypte. Dit is mijn eerste kerstavond alleen, ik heb het emotioneel heel lastig, maar word goed opgevangen door mijn tafelgenoten. Na het diner dansen en praten we met enkele leuke gasten. Ik vergeet even de ellende die ik de laatste 2 jaar heb meegemaakt. Ik heb het gevoel dat ik naar waarde wordt geschat, ik voel me stilaan weer vrouw. Het allerbelangrijkste is dat ik dicht bij mijn dochter Stéphanie sta.

Zondag 28 december 2008

Na een leuke reis in Egypte land ik samen met Stéphanie op Zaventem. We kopen enkele weekbladen. In de TV Familie staan Ignace en Patricia op de cover met de subtitel 'Een kind in 2009', 'Deze kerst is een keerpunt'. Hoe onrespectvol weer. Patricia Govaerts voegt er een christelijke gedachte aan toe: 'Een kindje zou ons geluk pas echt compleet maken'. Zelf heb ik een kerstinterview met TV Familie geweigerd om de sereniteit te bewaren.

Crombé stuurt kerstkaarten rond met als opschrift: 'We wensen u een jaar in blakende gezondheid, met familiaal geluk, vol professionele successen en gekruid met een grote portie positivisme, enthousiasme, respect, vriendschap en animo.' Een kerstkaartje met wensen die hij de voorbije jaren zelf niet heeft kunnen realiseren in zijn eigen kringen.

Maandag 29 december 2008

In het Laatste Nieuws wordt Ignace 'Misselijkmaker, bitterbal en de grootste showbizzgriezel van 2008' genoemd. 'Crombé ging een heel jaar woest te keer' schrijft de krant verder. Het is heel jammer dat het zo ver is moeten komen.

Dinsdag 30 december 2008

Het weekblad Humo pakt uit met een dubbelinterview van Crombé en Govaerts. Daarin zegt hij op een bijna perverse manier dat ik- ook al wist ik dat hij een affaire had met Patricia - bij hem ben gebleven voor de centen. 'Als je man ontrouw is, blijf je het toch niet voor hem opnemen', lalt hij verder. Hij zegt ook nog dat ik wist wat voor gevoelens hij voor Anne-Marie Ilie had. Ik wist dat niet, Crombé streed mijn vermoedens af, hij bleef mij beliegen, werd zelfs agressief en was nooit eerlijk over zijn gevoelens.

Ik ben ontzet, razend en woedend, maar voel mij ijzersterk. Wat Crombé er niet bijzegt is dat ik zowel de mails naar Céline Du Caju, de duidelijke affaire met Anne-Marie Ilie en zelfs de buitenechtelijke relatie met Patricia Govaerts heb willen bezweren. Ik wilde gewoon mijn huwelijk redden, mijn gezin bij elkaar houden, Stéphanie niet ongelukkig maken, maar dat krijgt Crombé niet over zijn lippen. Daarvoor is hij te sjagrijnig en te laf. Alweer is dit een interview ter vergoelijking van hemzelf. Maar de lezers zullen het nu wel door hebben.

'Miriam is begonnen met de echtscheiding in het openbaar uit te vechten', zegt hij in het Humo-interview. Ik kan mijn lach niet meer onderdrukken. Ik? Ik ben lang niet zo mediageil als Crombé. Zijn ego is belangrijker dan het aan de dag leggen van enige diplomatie. Crombé is degene die is gestart met de echtscheiding uit te spelen in de media, niet ik. Hij deed dat omdat hij aanvoelde dat dit de enige manier is om mij enigszins te raken. Sla er de artikels op na en je merkt meteen dat Crombé de hele mediasoap begon.

Crombé liegt ook in het Humo-artikel. Hij deelt mee 'Als zij vorige zomer niet was opgedaagd op de voorstelling van de meters en peters van de kandidaten, waren wij al lang gescheiden en was onze inboedel verdeeld'.

En op het einde van het gesprek geeft Patricia het eindelijk toe. Op de vraag hoe lang het al aan is tussen hen antwoordt ze 'Sinds augustus vorig jaar'. Augustus 2007 dus. In augustus was Govaerts op de kusttoernee in Blankenberge, toen kwamen ook die sms'jes toe en werd ik telkens door Ignace belogen en bedrogen. Als uitsmijter geeft Crombé ook toe dat hij verliefd was op Els Tibau, Miss Belgian Beauty 1997. Hoe lang is die man al bezig met zijn ziekelijke driften?

Ik heb nooit opgemerkt dat hij verliefd was op Els Tibau. Maar de laatste maanden komen er allerlei dingen aan de oppervlakte. Ik hoor nog andere geruchten en roddels over andere relaties. Ik weet natuurlijk niet of al die verhalen kloppen. Volgens iemand zou hij zelfs nog een affaire gehad hebben veertien dagen voor ons huwelijk. Dat hoor ik nu allemaal. Maar het raakt mij niet meer. Achteraf kan ik alles in een beter perspectief plaatsen, Crombé wilde altijd in het midden van de foto staan met meisjes rondom hem. Nu zie ik dat in. Maar als je van iemand geen kwaad verwacht, dan heb je daar geen oog voor. Ik heb dat nooit beseft of ingezien. Ik dacht dat hij altijd zo gesloten en weinig bereikbaar was omdat hij bezeten was door zijn werk. Crombé had nooit ontspanning nodig. Maar achteraf hanteerde hij die neurotische gesloten houding om verliefde mails rond te sturen. Ik denk dat hij al lang bezig was met het plan om een jong meisje te strikken en daarmee naar buiten te komen. Hij is niet goed bij zijn hoofd, hij heeft in elk geval hulp nodig. Ik vind het pathetisch, een vent van 52 die zo puberaal kickt op jonge vrouwen. Vanavond ben ik present op de televisieopname van de eindejaarsconference *Geert Hoste Regeert* van Geert Hoste in Brussel. Het is een sterke show en Missmaker Crombé wordt een paar keer terecht in de maling genomen. Het liedje van Geert Hoste 'Weg met Crombé' spreekt voor zichzelf.

"Hij doet het voor de meisjes, trakteert hen op reisjes, en alle Vlaamse meisjes, willen weg ermee. Hij doet het voor de meisjes, trakteert hen op reisjes, en alle Vlaamse meisjes, willen weg ermee. Weg ermee, weg ermee, weg met Ignace Crombé Weg ermee, weg ermee, weg met Ignace Crombé Hij doet het voor de meisjes, hij slaat ze bont en blauw. En ondanks een PV, komt hij weg ermee. Hij doet het voor de meisjes, hij slaat ze bond en blauw. En ondanks een PV, komt hij weg ermee. Weg ermee, weg ermee, weg met Ignace Crombé, Weg ermee, weg ermee, weg met Ignace Crombé Weg ermee, weg ermee, weg met Ignace Crombé Weg ermee, weg ermee, weg met Ignace Crombé Hij is zo heel erg ijdel, die Ignace Crombé. Als hij dit liedje hoort, is hij zo weg ermee. Hij is zo heel erg ijdel, die Ignace Crombé. Als hij dit liedje hoort, is hij zo weg ermee. Weg ermee, weg ermee, weg met Ignace Crombé Weg ermee, weg ermee, weg met Ignace Crombé (Allemaal!) weg met Ignace Crombé Weg ermee, weg ermee, weg met Ignace Crombé (Waar zijn de handjes?!)"

Op de receptie achteraf praat ik nog even na met Rani De Coninck, Kathy Pauwels, Birgit van Mol en Ann van Elsen over de show en het liedje 'weg met Crombé'. Om 02u30 ga ik slapen, ik denk maar aan één iets, humor verlicht de pijn.

Woensdag 31 december 2008

TV Familie pakt uit met een mensonterend stuk. 'Miriam Crombé proeft weer van romantiek'. Ik heb geen interview gegeven naar aanleiding van het stuk in de Dag Allemaal van 23 december en toch word ik geciteerd in TV Familie.

'Stiekem hoop ik in 2009 op een nieuwe liefde', staat in TV Familie. Ik heb niemand van dat blad gesproken, ik heb dat nooit gezegd. En verder zegt TV Familie: 'Hier en daar wordt gefluisterd dat Miriam al een nieuwe vriend zou hebben. Zo werd ze al meermaals gespot met Patrick Vandewattijne, de ontdekker van Laura Lynn. Andere bronnen linken Miriam aan een West-Vlaamse zakenman, die vroeger de Miss Belgian Beauty-verkiezing sponsorde. Hij kent Miriam al jaren.'

Heel bizar allemaal, hoe leg ik dat uit aan mijn dochter? Patrick is een goede vriend, een leuke man, maar niet echt mijn type. En een West-Vlaamse zakenman? Laat hem maar komen zou ik zeggen. Dit is zeer verwerpelijke journalistiek en deontologisch niet correct.

Er staat alweer een nieuw jaar voor de deur. Stéphanie gaat feesten in Waregem, ik word verwacht bij vrienden thuis. Om middernacht heb ik het moeilijk. Iedereen kust elkaar, ik besef dat ik al lang alleen ben. Huilend kijk ik naar het vuurwerk, maar ook de eenzaamheid moet ik plaatsen. Gelukkig word ik gesterkt door de bijna tachtig sms'jes met fijne wensen.

Dinsdag 6 januari 2009

De uitspraak van het proces dat Crombé inspande tegen de drie voormalige finalisten van Miss Belgian Beauty. Jolien Barbier, Katrien Goris en Caroline Vandewijver stapten, is uitgesteld.

Op facebook heb ik al 667 vrienden. Er is sprake van een reünie van mijn klas in de hogere school. Ik kijk daar enorm naar uit.

Ignace heeft weer een interview gegeven aan TV Familie, en ook nu staat hij op de cover. Naast een close-up van zijn hoofd schreeuwt hij om aandacht. 'Laat me aub je papa zijn', emotionele oproep van Ignace aan dochter.

Ik vind het schandelijk dat Crombé zijn dochter via de pers blijft aanspreken. Hij kan Stéphanie schrijven, mailen of bellen. Waarom denkt deze eigenzinnige narcist niet aan de gevolgen van zijn schoollopende dochter? Hoe moet Stéphanie dit weer verwerken, hoe zit zij morgenvroeg op de trein, hoe moet zij zich weer op de speelplaats gedragen? Het is een echte schande.

In het artikel in TV Familie roept Crombé verder: 'Ik heb al drie maanden niet met Stéphanie gesproken, ik weet niets over haar rapport of vriendjes, ik had zelfs geen contact met de feestdagen', roept hij uit. Hij krijgt weer een kritiekloze tribune. 'Ik snak naar quality time met mijn dochter', zegt hij. Crombé heeft de laatste 3 maanden heel weinig contact opgenomen met zijn dochter. Hij stuurde haar een paar sms'jes en mails. Ik hou hem niet tegen om meer contact te hebben of te zoeken. Hij wekt nu de indruk dat ik alle contact met hem verbied, wat niet zo is. En sterker nog, Crombé vertelt rond dat ik Stéphanie tegen hem opmaak. Wat een regelrechte leugen is. Altijd en overal zal ik Stéphanie op het hart drukken dat ze en een moeder en een vader heeft.

In het artikel durft Crombé ook nog zeggen dat hij hoopt op een menselijke scheiding ver weg van advocaten. Crombé heeft tot twee maal toe de kans gehad om een echtscheiding met onderlinge toestemming te tekenen. Hij heeft het niet gedaan.

Ik weiger te reageren en schrijf de waarheid nu in mijn dagboek neer. Het is duidelijk dat Crombé de pers probeert te bespelen met maar één doel voor ogen: hij wil de rechtbank beïnvloeden, zijn geloofwaardigheid opkrikken en de indruk wekken dat hij een minzame, correcte, diplomatische man is. Proberen mag, maar de waarheid ligt mijlenver van wat Crombé wil doen geloven. Ik hoop echt dat de intimidatie stopt.

Dinsdag 20 januari 2009

Om 20u ben ik te gast op de nieuwsjaarsreceptie in *Hotel Broel*, de plaats waar ik mijn mooiste werkjaren heb beleefd. De eigenaar Frank is zeer vriendelijk. Tijdens al die feestjes en recepties herken ik hetzelfde scenario, iedereen spreekt zich uit over de affaire, velen willen me moed inspreken en enkelen spuwen hun gal over Crombé en geven mij goede raad. Ik probeer die gesprekjes tot een minimum te herleiden, omdat ik niet meer aan het verleden wil herinnerd worden en met mijn leven wil doorgaan.

Woensdag 21 januari 2009

Op aandrang van een vriendin zorg ik voor wat spanning in mijn leven. In St Niklaas heb ik een afspraak met een heuse paragnoste. Zij zal mij meedelen hoe de rest van 2009 er zal uitzien. Ik rij een klein weggetje in, even later sta ik aan de deur van een houten chalet. De deur gaat open, ik word begeleid naar de living. Het eerste wat ik vraag is of de vrouw mij kent. 'Neen, ik lees geen boekjes', antwoordt ze. Ik moet mijn ogen sluiten en luisteren naar haar analyse. Ik moet vitaminen nemen en ook Revitalose om op kracht te komen. De paragnoste geeft ook mee dat ik mijn borsten moet controleren op knobbeltjes en rood vlees moet eten. Ze suggereert tevens dat ik een taal moet bijleren, ik zal opgevangen worden door enkele goede vriendinnen. Ik verneem ook dat de relatie met mijn ex-man en zijn vriendin onder spanning staat. Na 60 minuten is de sessie afgelopen, de dame slaat spijkers met koppen en legt mijn hele hart bloot. Ik betaal € 50,00 en rij terug naar Bissegem om mij op te maken voor *De Gouden Schoen* in het casino van Oostende. Ik verneem van een journalist dat Crombé niet gewenst is op het feest.

Vrijdag 23 januari 2009

Mijn advocaat laat weten dat Crombé wil onderhandelen om tot een regeling in der minne te komen. In juli 2008, een dik half jaar geleden, hebben we dat al voorgesteld. Toen weigerde Crombé. We zitten volgende week weer samen met onze advocaten. Ik hoop dat Ignace er voor één keer zal zijn.

In de Krant van West-Vlaanderen staat dat Patricia Govaerts bijklust in *Het Waaihof*, een Kortrijks restaurant. Na de hoogmoed komt de confrontatie met de realiteit. Hopelijk is het geen poging om de rechtbank een rad voor de ogen te draaien, hopelijk profileren ze zich niet slachtoffers van de hele echtscheiding.

Zondag 25 januari 2009

Via Facebook word ik uitgenodigd op een receptie in Roeselare. Ik ontmoet er Rik, een vriend die ik terug heb leren kennen via facebook. Verder heb ik ook Jurgen gezien, een oud-liefje. Het weerzien is hartelijk.

Maandag 26 januari 2009

Iedereen heeft blijkbaar de Krant van West-Vlaanderen gelezen want heel veel mensen spreken mij aan en beginnen een gesprek over de nieuwe job van Patricia Govaerts. Ik geef geen commentaar, ik gun iedereen zijn nieuw leven.

Dinsdag 27 januari 2009

Crombé wint het proces tegen de drie voormalige finalisten van Miss Belgian Beauty die uit de wedstrijd stapten, maar Jolien Barbier, Katrien Goris en Caroline Vandewijver gaan in beroep.

Donderdag 29 januari 2009

Mijn advocaat krijgt een schrijven van de advocaat van Crombé. Daarin schetst de tegenpartij - met het oog op het proces van 10 februari - een hallucinant beeld van de realiteit. Sterker nog, er wordt met de waarheid een loopje genomen. Dat dit allemaal kan?

Zo beweert Crombé dat ik al lange tijd op de hoogte was van zijn relatie met Patricia. Dat is een bizarre conclusie en volledig uit de lucht gegrepen, want ik heb het maandenlang zelf moeten uitzoeken. Crombé heeft me bedrogen en belogen. Hij heeft zijn affaire altijd afgestreden. Verder voert Crombé aan dat 'de optie van de echtscheiding reeds geruime tijd aan de orde was'. Onjuist, ikzelf ben als eerste naar mijn advocaat gestapt om een einde te maken aan mijn huwelijk door de buitenechtelijke relaties van Crombé. Ik heb lange tijd geprobeerd om mijn huwelijk te redden. Maar teveel was teveel. Dat hij nu de indruk geeft dat wij beiden wilden scheiden is een flagrante leugen.

Crombé gaat verder en zegt dat hij 'door de negatieve beeldvorming tot op heden nog geen enkele boeking heeft gekregen en als besmet wordt aanzien.' Hij zegt dat ik hiervoor verantwoordelijk ben. Ik hoop dat de rechtbank de 100 interviews die verschenen zijn over Crombé en Co leest en zelf oordeelt. En van die 100 interviews waren er geen 6 van mij. Crombé beschuldigt mij ook van diefstal van zijn standbeeld. Heel gek, want het prachtig beeld de Missmaker van de kunstenaar Marc Claerhout – die ik ten zeerste waardeer - was gewoon onderwerp van een onschuldig grapje. Het standbeeld ligt nog steeds netjes in de garage en is niet beschadigd.

Crombé voert tevens aan dat ik hem verwijt dat hij aanwezig was op de conference van Geert Hoste. Iedereen is vrij om te doen wat hij wil. Dat hij op de conference van Geert Hoste was, is gewoon een blijk van masochisme.

Crombé gaat door in zijn beschuldigingen. 'Eiseres (ik dus)

heeft maar één doel, concluant (Crombé) zoveel mogelijk te beschadigen, belachelijk te maken en te zorgen dat zijn naam zodanig besmeurd wordt dat hij in de toekomst geen boekingen meer krijgt'. Misschien moet Ignace eens al zijn artikels en interviews herlezen, dan beseft hij hoe hij zichzelf belachelijk heeft gemaakt.

Maar de beschuldigingen gaan door. 'De tegenpartij (ik dus) zetelt in tal van jury's en duikt overal op op feestje. Ze zetelde zelfs in de jury van 'Miss Wim'. Bovendien liet zij in een interview weten dat ze zich momenteel heel goed voelt en weer optimaal kan leven.' Ik hoop dat Ignace mij ooit de zon gunt. De voorbije 2 jaar waren niet prettig, ik heb diep gezeten en ik zit nog af en toe heel diep. Ik heb mijn breuk, mijn echtscheiding en mijn werkloosheid nog niet verwerkt. Ik doe mijn best voor Stéphanie en zie de toekomst positief tegemoet.

Waarom wil Ignace alles in mijn schoenen schuiven ? Straks ben ik nog verantwoordelijk voor de slechte economische situatie waarin we momenteel leven. Over een paar weken zal hij wel zeggen dat ik hem heb gekoppeld aan Patricia Govaerts en als hij echt van geen hout pijlen meer kan maken zal hij rondbazuinen dat ik geen vrouw maar een omgebouwde man ben. Met al zijn beschuldigingen kan ik wel huilen.

Echte mannen zijn oprecht en laten geen leugens door hun advocaat op papier schrijven, echte mannen schuiven niet alles in de schoenen van hun vrouw. Ik ben echt ontgoocheld in Ignace, de man waar ik zolang mee heb samengeleefd.

Vrijdag 30 januari 2009

Ik heb een hele nacht niet geslapen. De besluiten die Crombés advocaat naar voren schuift blijven door mijn hoofd spoken. Waar is de tijd dat ik met mijn 'zoetie' de wereld aankon. Wat ging er toch allemaal verkeerd?

204

Vrijdag 6 februari 2009

Ik ben enorm fier op mijn dochter, ze heeft een fantastisch schoolrapport, overal een 8 of een 9. Ik heb een heel goed gesprek met Stéphanie. Voor het eerst sinds lange tijd, praten we diepzinnig en vrijuit over de keuze van Ignace, de echtscheiding, de impact van de media op ons leven, mijn toekomst en de toekomst van Stéphanie. Ik heb de indruk dat de pijn van de scheiding en de verwijten van Ignace, slijten. Dat stemt mij tevreden. Ik hoop dat we samen een nieuwe start kunnen nemen.

Zaterdag 7 februari 2009

De laatste dagen staat alles in het teken van het proces op 10 februari. Maar 's middags verneem ik van mijn advocaat dat het proces wordt uitgesteld. Ik word er niet goed van, de dag waar ik al maanden naar uitkijk, valt weer in het water. Weer eens moet ik de moed opbrengen om de start van mijn nieuwe leven te verplaatsen. Ik word er zo moe en energieloos van...

Dinsdag 10 februari 2009

Vandaag zitten de twee advocaten samen om het uitstel van het proces te bespreken. De reden is dat Crombé het misschien in der minne wil regelen. Ik besluit mijn dagboek vandaag met grote vraagtekens. Ik kom er later nog op terug.

Nawoord

Mijn dagboek is vol, mijn strijd is gestreden. Sinds 13 oktober 2006 heb ik lastige maanden, problematische weken en zorgwekkende nachten beleefd, dat kon je lezen. Ik ben een positief ingestelde vrouw en ga iets van mijn leven maken. Als ik mijn dagboek herlees, komen al de penibele herinneringen terug boven. Urenlang heb ik mijn bedenkingen op mijn laptop ingetikt. Het is me wat geweest, de geheimen van Crombé verdoezelen, was ondraaglijk. Ik krijg de tranen in de ogen en begrijp nog steeds niet waar ik de kracht vandaan heb gehaald om elke dag begrip op te brengen voor de escapades van Ignace Crombé, een man die ik ooit graag heb gezien, maar die ik nu voor goed uit mijn leven wil bannen.

Crombé heeft zwaar op mijn ziel getrapt door een gebrek aan communicatie aan de dag te leggen en door me constant in een web van leugens te verstrikken. Ook al poogde ik dag na dag een dialoog op gang te brengen, te zwijgen of zijn gedrag te minimaliseren en te relativeren. Ik heb alles gedaan om onze huwelijkscrisis te overwinnen, maar de geheime en buitenechtelijke relaties van Crombé maakten dat onmogelijk. Ik dacht echt dat ik na 25 jaar huwelijk dichter bij mijn man stond, maar dat was niet zo. Ik was naïef en camoufleerde de realiteit, en besef nu meer dan ooit dat mijn relatie met Crombé een mislukking was.

25 jaar jaar lang heb ik mij gegeven voor een man en een bedrijf, daardoor verloor ik de leuke dingen in het leven uit het oog. Ik werd volledig opgeslorpt door het werk, verwaarloosde mijn sociaal leven en mocht mijn eigen familie acht jaar lang niet zien. Ik voel mij echt gebruikt.

'Dagboek van een bedrogen vrouw' is mijn verhaal, allicht heb ook ik fouten gemaakt, maar ik had altijd de intentie om mijn huwelijk te redden en het vertrouwen tussen ons te herstellen in het belang van onze dochter.

Het afgelopen jaar heb ik ontzettend veel aanvragen gekregen voor interviews. Naar aanleiding van elk verschenen artikel werd ik opgebeld door redacteurs van dag – en weekbladen. Ik ben op weinig verzoeken ingegaan omdat ik niet op halve waarheden, leugentjes om bestwil, flagrante leugens en domme uitspraken van Crombé wenste te reageren.

Maandenlang ben ik gevlucht in het bruisende leven van recepties, diners, premières, gala's en openingen, omdat het alleen zijn mij zeer zwaar viel, ook omdat ik de mensen die me hebben uitgenodigd, wilde ontmoeten. Maar nu heb ik een stabiele plek voor mezelf om tot rust te komen. Thuis kan ik weer alleen zijn, plannen maken en genieten.

Ik ben geen vrouw van grote woorden, maar als ik één boodschap kan meegeven is het deze: ik heb ongelooflijk veel emotionele steun gekregen van Stéphanie, familieleden, kennissen, vrienden en mensen die ik van haar noch pluim ken. Ik heb ook voor mezelf gezorgd, ben vaak naar de kapper geweest, kocht kleding en verwende me veel. Ik heb me niet gewenteld in zelfbeklag, al vind ik nu dat ik veel eerder mijn verhaal moest vertellen aan vrienden en familieleden. Ik heb de pijn en het verdriet te lang alleen gedragen. Ik moest veel sneller zeggen: 'Crombé, eruit!'. Diezelfde Crombé zal wellicht negatief reageren op dit ontluisterend boek en het als onzin afdoen. Alle sms-jes, alle mails, alle brieven en alle artikels zitten in een dossier. Daar is geen speld tussen te krijgen. Het is de waarheid, niets dan de waarheid. Niettemin wil ik Ignace Crombé bedanken voor de mooie eerste 23 jaar van ons huwelijk. De laatste 2 jaar wil ik zo snel mogelijk vergeten.

Ik besef dat ik op mijn 46 helemaal opnieuw moet beginnen, maar ik geloof in de toekomst. Mijn echtscheiding raakt stilaan verwerkt en ik moet mijn zelfvertrouwen en lage zelfwaardering nog opkrikken. Maar in de liefde blijf ik geloven, hopelijk ontmoet ik in de nabije toekomst *the love of my life*.

Graag wil ik mijn schat van een dochter, mijn lieve ouders, mijn zusjes en familie en vrienden bedanken voor alle steun en warmte die zij mij gaven in deze moeilijke periode. Ik zal dit nooit vergeten. Tot slot wil ik ook de mensen met wie ik vriendschappelijk of professioneel te maken had in al die jaren dat ik mee aan het hoofd stond van MBB, bedanken voor de fijne samenwerking. Zonder jullie was MBB nooit zo groot geworden.

Liefs Miriam
10 februari 2009
miriam@lampedaireuitgevers.be

GEMEENTELIJKE KOKSIJDE OPENBARE BIBLIOTHEEK